ALIMENTATION

Publié pour la première fois en Grande-Bretagne, en 2002, sous le titre *Pregnancy Food*.

Traduction des recettes : Catherine Vandevyveyre
Photographies : Deirdre Rooney (© Murdoch Books), sauf :
Akiko Ida (pp. 24, 36, 42 à gauche et à droite, 43 au centre, 47 à gauche, 50 à droite, 51 à gauche, 55 à gauche et à droite, 60, 63, 66, 71, 77, 78, 79 et 85), Rieder Photography (© Photonica, p. 11).

Sophie Braimbridge
Jenny Copeland

NO STRESS

ALIMENTATION

FUTURE MAMAN

MARABOUT

SOMMAIRE

41 LES ALIMENTS ESSENTIELS

59 VOUS, VOTRE CORPS ET VOTRE BÉBÉ

87 RECETTES

AVANT-PROPOS

Adopter une alimentation saine est une décision essentielle à prendre pour vous et pour l'enfant que vous portez.

Pendant neuf mois, votre corps connaîtra des transformations considérables destinées à protéger et à nourrir votre bébé. Durant cette période, ce que vous mangerez assurera la croissance et le développement du bébé, et améliorera le fonctionnement de votre organisme et l'harmonie de votre silhouette. Une alimentation saine vous maintiendra en bonne santé et soulagera les désagréments liés à votre état. Cette alimentation vous apportera l'énergie et les nutriments utiles lors de la naissance et de l'allaitement. À chaque trimestre correspondent des besoins particuliers.
Dans les pages qui suivent, vous trouverez de très nombreux conseils, précis, documentés et pratiques à propos des changements physiologiques que vous allez vivre. Vous y trouverez également le détail des bonnes habitudes à prendre en matière alimentaire ainsi qu'un choix de recettes, délicieuses et faciles à réaliser : établies pour vous assurer, à vous et à votre bébé, les éléments nutritionnels indispensables, elles répondent à vos besoins et à leur évolution tout au long de votre grossesse.
En adoptant une alimentation saine, équilibrée et variée, soyez sûre que vous en recueillerez les fruits : maintenant, mais aussi longtemps après la naissance.

Pour tout savoir sur les aliments
Le Centre informatique sur la qualité des aliments (CIQUAL) est une unité scientifique et technique dépendant de l'Agence française de sécurité sanitaire des aliments (AFSSA) ; cette dernière est placée sous la tutelle des ministères de la Santé, de l'Agriculture et de la Consommation.
La mission du CIQUAL est de rassembler, d'apprécier et de diffuser des informations sur la composition des aliments. Il gère une banque de données, qu'il met à la disposition des administrations, des chercheurs, des nutritionnistes et de l'industrie agro-alimentaire, et, dans le cadre des travaux menés à l'AFSSA, collabore à l'évaluation des risques nutritionnels.
En France, les principales tables de composition des aliments sont publiées par le CIQUAL.
Elles constituent un préalable indispensable à la réalisation et à la

crédibilité scientifique des enquêtes relatives à la santé et à l'alimentation. Elles sont un outil indispensable pour tous ceux qui s'intéressent à la diététique et à la nutrition. Les informations nutritionnelles qui figurent dans cet ouvrage ont été établies à partir des tables de composition des aliments publiées par le CIQUAL : dans les textes, les aliments sont cités selon leur plus ou moins grande richesse en tel ou tel nutriment ; dans les recettes, les précisions sont indiquées au début de chaque notice.
Site Internet : http://www.afssa.fr

Les mots figurant dans le glossaire sont signalés par un astérisque*.

NO STRESS

UNE ALIMENTATION SAINE, EQUILIBREE ET VARIEE

CHOISIR SON ALIMENTATION

Il est essentiel de choisir une nourriture saine à toutes les étapes de la grossesse, mais également avant la conception : vous serez ainsi prête à accompagner, avec les nutriments utiles à sa croissance, le développement optimal de votre bébé.

Les modifications alimentaires à mettre en place restent assez minimes, car il ne s'agit pas de manger pour deux. Chaque femme commence sa grossesse avec des besoins nutritionnels différents, qui dépendent de sa propre santé comme de ses propres réserves, et ces besoins changeront tout au long des neuf mois. Le point le plus important à retenir est celui-ci : adoptez une alimentation variée en évitant les excès.
Voici la présentation détaillée de l'ensemble des nutriments qui entrent dans la composition de tous les aliments et qui vous sont nécessaires.

LES GLUCIDES

Les glucides simples sont également appelés sucres rapides car ils sont vite digérés : ce sont le lactose du lait, le fructose des fruits, le dextrose du miel et surtout le saccharose des produits sucrés (gâteaux, bonbons, sodas…), qui apportent immédiatement de l'énergie à l'organisme. Les glucides complexes, ou sucres lents, sont de digestion plus lente : c'est l'amidon des céréales, des féculents et des légumineuses, qui assure une énergie durable, disponible plus longtemps.
Le glucose, élément de base des glucides, est la principale source d'énergie utilisée par le fœtus.
Un apport quotidien en glucides est donc indispensable au bon déroulement de la grossesse : il faut maintenir les apports en sucres lents sous forme de riz, de pâtes, de pommes de terre, de pain, de légumineuses – lentilles, haricots blancs ou rouges, pois cassés, pois chiches, fèves… Il convient de préférer ces glucides complexes qui, avec les fruits et les crudités, contiennent des fibres et aident ainsi à lutter contre la constipation.
La femme enceinte a tout intérêt à consommer un plat de féculents ou de légumineuses par jour, de préférence le soir, ainsi qu'un peu de pain à tous les repas. En effet, les glucides complexes assurent un rassasiement prolongé et évitent

les malaises hypoglycémiques qui, parfois, sont dus à la consommation de sucres rapides tels que les sodas et les bonbons. Parmi les sucreries, choisissez celles qui contiennent d'autres substances minérales ou vitaminiques - par exemple le miel - plutôt que celles qui apportent un plaisir momentané mais souvent, aussi, des inconvénients - par exemple l'excitation des sodas.

LES PROTÉINES

Fabriquer, entretenir et renouveler l'ensemble des tissus composant à la fois le corps de la mère et celui du fœtus exigent une quantité extraordinaire de protéines : avec les sels minéraux - le calcium, le fer... - et les vitamines, les protéines représentent en effet les nutriments bâtisseurs.
Au cours de la grossesse, l'augmentation de la teneur en protéines dans l'organisme de la mère est liée tout d'abord à l'accroissement du dépôt azoté dans ses tissus : cette accrétion protéique, c'est-à-dire ce processus de stockage, a lieu dès le premier trimestre. Par la suite, ces réserves seront utilisées par le fœtus. Les besoins augmentent peu à peu jusqu'à atteindre au troisième trimestre un surplus de 10 g par jour, soit un total atteignant environ 70 g par jour.
La ration protéique recommandée est très bien assurée par nos modes d'alimentation actuels - qui, d'ailleurs, sont souvent trop riches. Toutefois, les femmes issues d'un milieu socio-économique défavorisé manquent parfois de protéines : dans ce cas, la croissance du fœtus peut être compromise, surtout

si les restrictions interviennent lors du dernier trimestre.
Des apports protéiques adéquats permettent de mieux couvrir les besoins en fer, en vitamine B12 et en calcium, et ce d'autant plus que l'on tiendra compte de la qualité des protéines recommandées : d'origine animale ou végétale.

Les protéines animales

Les protéines animales apportent les huit acides aminés dits indispensables car l'organisme n'est pas capable de les fabriquer. Elles se trouvent dans la viande, le poisson, les œufs et les produits laitiers ; ces derniers constituent les protéines animales les moins coûteuses. 18 à 20 g de protéines sont apportés, au choix, par 100 g de viande, 100 g d'abats, 100 g de poisson, 100 g de volaille, 2 œufs, 1/2 l de lait, 4 yaourts, 180 g de fromage blanc, 80 g de camembert ou 70 g de gruyère.

Les protéines végétales

Les protéines végétales, qui se trouvent dans les céréales, les oléagineux et les légumineuses, possèdent une qualité nutritionnelle inférieure, car elles ne contiennent pas tous les acides aminés dans une proportion entièrement adaptée à nos besoins. C'est pourquoi il est utile d'associer dans un même repas des protéines de composition différente – par exemple du couscous et des pois chiches (céréales et légumineuses) – ou d'origine différente – par exemple du pain et du fromage (protéines végétales et animales).
Des plats courants et bon marché apportent des protéines d'origine animale et végétale : le hachis Parmentier, la quiche jambon-fromage, la pizza jambon-fromage, la saucisse aux lentilles, le couscous au poulet ou à la viande, le taboulé aux œufs, les crêpes jambon-fromage, les pâtes au fromage, le riz au lait...

LES VITAMINES

Les fruits, les légumes et les produits laitiers constituent des sources importantes de vitamines et de minéraux. Il existe deux types de vitamines : les vitamines solubles dans l'eau, ou hydrosolubles (la vitamine C et les vitamines du groupe B), et les vitamines solubles dans les matières grasses, ou liposolubles (les vitamines A, D, E et K). Les premières ne sont pas stockées par notre organisme ; elles présentent une instabilité car elles sont sensibles à l'oxygène et à la chaleur : elles disparaissent en grande partie à la cuisson des aliments.
Si nous avons une consommation équilibrée incluant une grande variété de fruits et de légumes, nous bénéficions d'un apport adéquat en vitamines et en minéraux ; l'enrichissement

nutritionnel ou médicamenteux, c'est-à-dire la supplémentation, ne sera pas nécessaire, sauf en cas de prescription médicale. Demandez conseil à votre médecin ou à une sage-femme avant toute automédication ou toute prise de compléments alimentaires.

La vitamine A

Il existe deux formes d'apport en vitamine A : le rétinol, qui se trouve dans les produits carnés, par exemple dans le foie, et le bêta-carotène qui, présent dans les végétaux comme la carotte, appartient à la famille des caroténoïdes ; c'est un précurseur de la vitamine A (ou provitamine A).

Les aliments

Le lait non écrémé, le beurre, les œufs, le foie (foie d'agneau, de veau, de porc, de volaille et de génisse), certains poissons (anguille et thon rouge) sont des sources importantes de vitamine A.
Il en est de même des légumes verts, avant tout des salades et de certaines herbes (pissenlit, persil, mâche, épinard, ciboulette, cresson, oseille, chicorée...).
La vitamine A se trouve également dans d'autres légumes (carotte, cornichon, bette, fenouil, melon, poivrons...), dans les fruits de couleur jaune et orange, qui sont riches en caroténoïdes, des précurseurs de la vitamine A (abricot, mangue, kaki, papaye...).

Le rôle de la vitamine A

La vitamine A joue un rôle primordial dans la régulation des gènes, donc dans la division et la différenciation des cellules de l'embryon puis du fœtus.
Par ailleurs, la vitamine A possède une action spécifique sur la vision et sur l'acquisition des défenses immunitaires.

Les carences

Chez la femme enceinte, une carence attestée en vitamine A est fréquente, et elle se remarque avant tout dans les pays en développement. Elle provoque notamment des troubles oculaires ainsi qu'un retard de croissance.
La carence en vitamine A augmente surtout le risque d'infection pour le nouveau-né et, par la suite, pour le nourrisson : cela se manifeste en particulier par des diarrhées, une rougeole, une infection respiratoire...

L'hypervitaminose

Elle comporte des risques tératogènes* (qui peuvent provoquer des malformations importantes) quand les apports en vitamine A sont quatre fois supérieurs aux apports recommandés ; ce risque est important quand le surdosage a lieu lors du premier trimestre. Une supplémentation en multivitamines doit donc être faite de manière très prudente.

Les vitamines du groupe B

Un bon apport en vitamines du groupe B (vitamines B1, B2, B3, B5, B6, B8, B9 et B12) provient d'une alimentation équilibrée qui comporte des céréales complètes (par exemple le musli du petit-déjeuner), des légumes verts et des oléagineux, de la viande, du poisson et des œufs.

La vitamine B2, ou riboflavine

Cette vitamine entre dans la constitution de nombreuses enzymes qui tiennent une place décisive dans le métabolisme des acides gras, des protéines et des acides aminés. Les produits laitiers (lait en poudre, fromages) sont très riches en vitamine B2 : ils sont donc à privilégier par la femme enceinte.

La vitamine B12, ou cobalamines

Elle intervient dans la formation des globules rouges ; elle lutte donc contre l'anémie*.
Elle est présente dans l'ensemble des produits animaux (viande, poisson, lait et produits laitiers, œufs...).
Les besoins quotidiens sont couverts par un 1/2 l de lait, 1 ou 2 yaourts, ou encore par 100 g de viande rouge.

La vitamine B9, ou acide folique, ou folates

La vitamine B9, ou acide folique, est une vitamine hydrosoluble de petite taille. L'acide « folique », du latin *folium*, « feuille », doit son nom à sa présence dans les feuilles de certains légumes ; il apparaît dans les aliments sous forme de polyglutamates (une à sept molécules de glutamate sont reliées en chaîne). Ces polyglutamates sont appelés « folates ».
Près de la moitié des réserves en acide folique de notre organisme sont stockées dans le foie, le reste étant avant tout contenu dans les globules rouges. Sans apport alimentaire, ces réserves en acide folique s'épuisent en quatre mois environ.

Les aliments

Les principaux apports en acide folique se trouvent dans la levure alimentaire, le foie, les légumes à feuilles vert foncé, les graines, les fruits, les fromages, les œufs (voir le tableau ci-contre). L'alimentation de la femme enceinte comprendra donc une part importante et régulière de légumes verts (brocoli, salades, épinard, chou de Bruxelles, haricot vert...), cuisinés en évitant l'ébullition qui détruit les folates, ainsi que de fruits frais (melon, banane, agrumes, kiwi...), de fromages à croûte fleurie (camembert), de fromages persillés (bleu) et de chèvres (chabichou), de céréales complètes (maïs), de légumineuses (pois chiches, lentilles…). Le foie de volaille et les œufs constituent également d'excellentes sources de folates. Tandis que les Américaines vont en général chercher ces apports dans des aliments enrichis, les Françaises, qui consomment davantage de fruits, de légumes et de fromages, peuvent trouver tout ce qui leur est nécessaire dans une alimentation variée.

LES ALIMENTS RICHES EN ACIDE FOLIQUE (EN MG/100 G)

→ Exceptionnels (> 200 mg)
Levure alimentaire, foie, pâté de foie.

→ Très riches (100 à 200 mg)
Salades vertes (cresson, pissenlit, épinard…), oléagineux (châtaigne, noix, amande…), pâté de campagne.

→ Riches (50 à 100 mg)
Légumes verts (oseille, chou de Bruxelles, chou-fleur, brocoli), maïs, petit pois, pois chiche, melon, œufs, fromages (camembert, bleu, chaource, chèvre…).

→ Moyens (25 à 50 mg)
Autres légumes, céréales complètes, fruits (agrumes, banane, kiwi, fruits rouges), autres abats (rognons).

→ Faibles (< 20 mg)
Pain et féculents, autres fruits (pomme, raisin…), viandes, poissons, autres laitages.

Le rôle de l'acide folique

Lors du déroulement de la grossesse, l'acide folique joue un rôle central : il intervient notamment dans la synthèse des acides nucléiques et de certains acides aminés, dans l'augmentation de la masse sanguine, dans l'élargissement de l'utérus et dans le développement général de l'embryon puis du fœtus, dont l'une des principales caractéristiques est la prodigieuse multiplication cellulaire.

Les besoins de la femme enceinte

Les besoins en acide folique sont accrus au cours de la grossesse et, dans une moindre mesure, pendant l'allaitement.
Sur la base d'une biodisponibilité de 50 % des folates de l'alimentation, les besoins supplé-mentaires de la femme enceinte sont estimés entre 0,1 mg et 0,3 mg/jour.
Sachant que les carences en folates peuvent, de manière très précoce, entraîner des troubles, toutes les femmes, et bien avant d'entamer une grossesse, ont intérêt à consommer chaque jour des aliments riches en acide folique.
Au cours du premier trimestre, les besoins sont importants du fait de l'expansion des tissus maternels – dont le sang et l'utérus – et de la fermeture du tube neural de l'embryon (relatif au système nerveux), qui a lieu lors de la 4e semaine, c'est-à-dire souvent avant la connaissance de la grossesse ; une carence en acide folique risque de provoquer un défaut de fermeture de ce tube neural.

Au cours du deuxième trimestre, les folates interviennent en raison du développement exponentiel du fœtus ; une carence tardive ou moins aiguë est susceptible d'entraîner un retard de croissance in utero. Pendant le dernier trimestre, il est indispensable d'assurer au bébé la constitution de réserves en folates, qui doivent être très importantes lors de la naissance ; une carence peut produire chez le nouveau-né un déficit de réserves. Au cours de la grossesse, une diminution de l'acide folique dans le sang est presque toujours observée chez les femmes qui ne sont pas supplémentées. En France, 2 à 5 % des femmes en âge de procréer présentent un risque élevé de déficience en folates, et 25 % un risque modéré. Dès le début de leur grossesse, au moins 30 % des femmes occidentales révèlent un taux diminué de folates érythrocytaires (contenus dans les globules rouges). En France, les femmes enceintes consomment en moyenne 0,3 mg de folates par jour, tandis que les apports quotidiens recommandés sont en général estimés à 0,4 mg/jour.

Les carences

Une carence en acide folique tendrait, chez la mère, à majorer les risques d'hémorragie et d'anémie* – cela a surtout été observé chez les femmes africaines – et à augmenter les risques de prématurité et de faible poids de naissance du bébé. Une telle déficience se rencontre très souvent chez les femmes en situation de précarité, issues d'un milieu socio-économique défavorisé. Des carences vitaminiques, en particulier en acide folique, seraient au moins en partie responsables du défaut de fermeture du tube neural de l'embryon. Ces malformations, et notamment le Spina bifida*, sont les malformations congénitales les plus fréquentes ; leur survenue est plus courante quand un membre de la famille est déjà atteint d'une telle malformation ou lors de prise de médicaments anti-épileptiques. En France, le nombre de cas est estimé à 1 000 par an. Ces carences provoquent également certaines naissances prématurées. Ainsi, les femmes ayant accouché d'un enfant de faible poids révèlent un taux d'acide folique peu satisfaisant : la prise de 0,35 mg/jour d'acide folique à partir du 6e mois allonge d'une semaine la durée de la grossesse et augmente proportionnellement le poids de naissance du bébé.

La supplémentation

Dans les cas de déficience, par exemple chez celles qui fument et/ou qui boivent de l'alcool, chez celles qui ont suivi une contraception orale ou celles qui sont trop minces du fait d'un régime restrictif, une supplémentation nutritionnelle ou médicamenteuse est en général prescrite par le médecin (de l'ordre de 0,2 mg supplémentaire par jour). L'apport en acide folique doit en effet être optimal dès le premier trimestre et, si possible, un mois ou deux avant la conception. Le seul inconvénient d'une supplémentation est de masquer une éventuelle anémie* liée à une carence en vitamine B12, très courante chez les végétaliennes car elles ne consomment ni lait ni œufs. Pour toutes ces femmes, un apport total en acide folique de 0,4 mg réduit de moitié les risques de Spina bifida*, de prématurité et de faible poids de naissance. Pendant l'allaitement, la même valeur semble pouvoir être appliquée. Pour les femmes enceintes présentant un haut risque, notamment celles qui ont déjà un enfant atteint d'une malformation du système nerveux et celles qui sont soumises à un traitement anti-épileptique (qui interfère avec le métabolisme de l'acide folique), une supplémen-tation avant la conception et pendant la grossesse est systématique (de l'ordre de 0,4 mg supplémentaire par jour) ; elle réduit de 72 % le risque de malformations. On trouve, en vente en pharmacie, de nombreux médicaments contenant de l'acide folique à des doses supérieures à celles qui sont recommandées sur le plan nutritionnel. Il ne faut pas s'en inquiéter : cela permet avant tout d'apporter des quantités plus importantes que les besoins nutritionnels ne le permettent. Mais en aucun cas cela ne doit être systématique.

La vitamine D

La vitamine D est une vitamine liposoluble ; elle possède une double origine, alimentaire et endogène, car l'épiderme peut en produire de grandes quantités après une exposition ou une irradiation solaire ou ultraviolette. L'apport en vitamine D n'est donc indispensable que pour les sujets non exposés à un rayonnement ultraviolet efficace. Deux formes principales de vitamine D se retrouvent dans l'alimentation : la vitamine D2, ou ergocalciférol, qui est produite par les végétaux, et la vitamine D3, ou cholécalciférol, de provenance animale.

Les aliments

La vitamine D est avant tout contenue dans les poissons de mer gras (saumon, hareng, sardine, truite, anchois...) et, dans une moindre mesure, dans certains autres poissons gras (maquereau, flétan, anguille, thon...). En revanche, la vitamine D est absente dans les poissons maigres tels que la morue, la raie et la sole.

Le rôle de la vitamine D

Par son action sur le métabolisme du calcium dans l'ossification, la vitamine D tient un rôle majeur. Elle participe ainsi à l'élaboration du squelette du fœtus et au respect de l'intégrité du squelette de la mère.

Les besoins de la femme enceinte

Les apports recommandés en vitamine D sont fixés à 0,1 mg/jour (soit 400 UI/jour ; les UI, ou unités internationales, expriment un degré d'activité biologique). Cela semble suffisant même dans les pays qui ne bénéficient que d'un faible ensoleillement. Toutefois, cette dose n'est pas assez importante pour la femme enceinte si une supplémentation n'a pas été entreprise dès le début de sa grossesse. En effet, les femmes enceintes comme les nourrissons accroissent physio-logiquement leurs concentrations de vitamine D à des niveaux deux à trois fois supérieurs à ceux qui sont d'ordinaire observés chez l'adulte ; cela provoque un épuisement plus rapide des réserves. Tout au long de la grossesse, la vitamine D fait l'objet d'un déplacement transplacentaire actif : il existe ainsi une étroite corrélation entre la concentration plasmatique en vitamine D de la mère et celle du cordon. Chez l'adulte, les taux circulants de vitamine D sont insuffisants, notamment en hiver, dans les pays qui n'assurent pas une supplémen-tation importante de leurs laits comme de leurs laitages - cela est le cas en France. En fin de grossesse, les femmes présentent un déficit en vitamine D, surtout pendant l'hiver ou au début du printemps, et jusque dans des villes aussi ensoleillées que Marseille ou Nice.

Les carences

Les conséquences de la carence maternelle en vitamine D sont bien connues et concernent à la fois la tétanie néonatale, la malformation de l'émail dentaire de l'enfant, voire le rachitisme néonatal. Une relation a été établie entre la déficience en vitamine D et la fréquence des accidents d'hypocalcémie néonatale, tardive ou précoce ; la fréquence encore excessive du rachitisme carentiel, en particulier dans ses formes précoces, semble également se rattacher, du moins en partie, à cette déficience vitaminique. Enfin, les femmes les plus carencées développent parfois durant leur grossesse une ostéomalacie symptomatique (ramollissement des os), dont le rôle dans l'apparition d'une ostéoporose (raréfaction du tissu osseux) après la ménopause reste à déterminer.

La supplémentation

L'apport en vitamine D doit être optimal, en particulier lors du dernier

trimestre et en hiver - surtout en janvier et en février. Même si l'ensoleillement occupe une place essentielle, les conditions de vie, de climat, de latitude et de pollution atmosphérique, variables d'un lieu à un autre, interdisent de compter sur la seule exposition aux U.V. solaires. Quand la supplémentation en vitamine D est faite durant le dernier trimestre, 25 mg/jour sont nécessaires pour obtenir, chez la mère et dans le sang du cordon, des concentrations de vitamine D. Les mêmes résultats sont obtenus par une dose unique de 41 mg, prise au début du 7e mois. Cependant, en raison de leur toxicité potentielle, des doses plus élevées sont à proscrire. En France, la supplémentation en vitamine D a permis de réduire la fréquence des hypocalcémies néonatales de 5,1 % à 1,9 % ; la différence est plus nette pendant l'hiver, où la fréquence chute de 7,7 % à 2,4 %.

La vitamine E et la vitamine C

Les propriétés antioxydantes de la vitamine E sont d'autant plus efficaces qu'elles sont associées à celles de la vitamine C.

La vitamine E

Cette vitamine liposoluble possède une action sur les membranes cellulaires ainsi que sur les lipoprotéines. Ses sources sont avant tout les huiles végétales (dans l'ordre : huile de tournesol, de pépins de raisin, de maïs, d'arachide, de colza, de soja, d'olive, de noix, de sésame...), les oléagineux (noisettes, amandes), le germe de blé, l'épinard, le chou vert.

La vitamine C

Cette vitamine hydrosoluble possède des effets essentiels et nombreux : elle permet de lutter contre les infections virales et bactériennes, stimule les défenses de notre corps, donc renforce notre système immunitaire ; elle facilite l'absorption du fer ; elle préside à la formation du collagène (la protéine de la matrice intercellulaire du tissu conjonctif). Pour s'assurer des apports suffisants en vitamine C, la femme enceinte peut consommer des fruits (cassis, kiwi, fraise, litchi, agrumes, mangue, groseille...) et des légumes crus (persil, poivrons, radis, cresson, choux, brocoli, oseille, épinard, mâche, laitue...).

LES MINÉRAUX ET LES OLIGO-ÉLÉMENTS

Notre organisme a besoin d'un grand nombre de minéraux dans des proportions adaptées aux nombreuses fonctions physiologiques : la formation comme le maintien de la densité osseuse et des dents, le fonctionnement du système immunitaire, le renforcement de l'action de certaines vitamines...

À l'instar des vitamines, certains minéraux sont nécessaires en très faible quantité : ce sont les oligo-éléments. Les principaux sont le cobalt, le cuivre, le fer, le fluor, l'iode, le manganèse, le nickel, le sélénium et le zinc. Une alimentation variée et équilibrée répond à l'ensemble de nos besoins.

Le fer

L'organisme d'un adulte contient entre 2,5 g et 4 g de fer, qui se présente sous deux formes : le fer héminique (70 %) et le fer minéral (30 %). Le fer héminique appartient à une structure moléculaire appelée « hème » (du grec haima, qui signifie « sang ») ; il est indispensable à la constitution et à la production de certaines protéines : l'hémoglobine (un pigment respiratoire des globules rouges, qui assure les échanges d'oxygène) et la myoglobine (une forme de réserve de l'oxygène du muscle) ; il assure également la synthèse des enzymes hémoprotéiques, qui jouent un rôle capital dans le métabolisme. Le fer minéral, non héminique, est présent dans certaines enzymes et correspond aux formes de transport (la transferrine) et de réserve (la ferritine) du fer. La biodisponibilité du fer dépend moins de sa teneur que de sa qualité : le fer héminique est mieux absorbé (à 25 %) que le fer minéral (à 10 %). L'absorption du fer minéral dépend aussi, au sein d'un même repas, de la présence d'autres éléments. Selon les personnes, il varie de 1 % à 20 %. Le fer est stocké dans le foie, la rate et la moelle. Ce fer de stockage, qui représente 30 % du fer total, a pour unique fonction la constitution de réserves. Ces dernières sont soit mobiles et vite disponibles (sous forme de ferritine), soit fixes et plus difficilement mobilisables (sous forme d'hémosidérine). Le reste du fer se situe dans les globules rouges et les cellules musculaires (sous forme d'hémoglobine et de myoglobine). Le fer plasmatique, soit 0,1 % environ du fer total, circule dans le plasma avec une protéine : la transferrine. Il est utilisé pour la synthèse de l'hémoglobine. La moitié de ce fer plasmatique se renouvelle toutes les 100 min.

Les aliments

La viande, la volaille et le poisson représentent de bonnes sources de fer. Par ailleurs, certains acides, en particulier l'acide ascorbique (c'est-à-dire la vitamine C) des agrumes, stimulent l'absorption du fer minéral. À l'opposé, les tanins, les phytates (fibres alimentaires), le calcium, le zinc, certaines protéines ainsi que certaines fibres alimentaires – par exemple contenues dans le thé, le café, le jaune d'œuf et le son de blé – réduisent l'absorption du fer.

Tandis que le fer héminique se trouve dans l'hémoglobine et la myoglobine des viandes, le fer minéral est avant tout présent dans les céréales (musli du petit-déjeuner, germe de blé, flocons d'avoine, blé complet, sarrasin), les fruits (abricot, datte), les oléagineux (amandes, noisettes), les légumineuses (lentilles, haricots blancs) et la levure alimentaire.

Le rôle du fer

Un apport suffisant en fer est essentiel durant les activités métaboliques intenses - par exemple la grossesse et la croissance de l'enfant - et durant les pertes de sang - par exemple l'apparition des règles chez l'adolescente.

Les besoins de la femme enceinte

Les besoins en fer augmentent considérablement et varient selon les réserves disponibles au début du premier trimestre. Au total, plus de 1 000 mg de fer seront nécessaires pour équilibrer les besoins au cours de la grossesse. Tout au long de son existence, chaque femme doit consommer tous les jours des aliments riches en fer ; la femme enceinte doit être plus vigilante encore - à l'analyse de sang, son taux de ferritine indique l'état de ses réserves ferriques. Pendant le premier trimestre, les besoins représentent 70 % de la quantité de fer nécessaire tout au long des neuf mois ; on estime que le placenta en renferme entre 30 mg et 175 mg et que l'augmentation de la masse globulaire maternelle en nécessite entre 200 mg et 600 mg. Pendant le dernier trimestre, afin de faire face aux besoins grandissants du fœtus, la vitesse de déposition du fer est dix fois plus élevée (soit 2 mg/jour). Des réserves sont également nécessaires pour compenser les pertes de sang de la mère lors de l'accouchement. Tandis qu'un fœtus de 20 semaines révèle moins de 30 mg de fer, le nouveau-né en contient 270 mg. L'augmentation importante des capacités d'absorption intestinale

du fer concerne à la fois le fer héminique et le fer minéral. La plupart des études montrent que la quantité de fer absorbée, rapportée à la quantité ingérée, est beaucoup plus élevée à 36 semaines qu'à 12 semaines de grossesse. Cela est dû à l'adaptation métabolique de la mère, qui contribue à protéger le développement du fœtus des fluctuations du régime alimentaire.

LES APPORTS NUTRITIONNELS CONSEILLÉS (EN MG/JOUR)

→ Pour une femme enceinte : de 25 à 35 mg.
→ Pour une femme réglée : 16 mg.
→ Pour une femme qui allaite : 10 mg.
→ Pour une femme ménopausée : 9 mg.
→ Pour un homme adulte : 9 mg.
→ Pour un nourrisson : 7 mg.

Les carences

Le fer constitue l'oligo-élément dont les carences sont les plus courantes, et cela est vrai jusque dans les pays industrialisés et pour tous les âges de la vie. L'anémie* est définie par un taux d'hémo-globine bas : il est inférieur à 13 g/100 ml chez l'homme, à 12 g/100 ml chez la femme et l'enfant, enfin à 11 g/100 ml chez la femme enceinte. Les personnes présentant des risques sont les enfants dans leur première année, les adolescents, en particulier les filles tout juste réglées, et les femmes enceintes. Les carences en fer peuvent provoquer diverses anomalies ainsi qu'une anémie* ferriprive : cette dernière pose un véritable problème de santé publique.
La chute des réserves ferriques qui précède l'anémie* est fréquente chez les femmes qui ont eu plusieurs grossesses, le plus souvent rapprochées - car la période de reconsti-tution en fer a été réduite –, et chez les femmes enceintes issues d'un milieu socio-économique défavorisé. Dans ces deux cas, on observe des risques de fausses couches, de préma-turité, de faible poids du bébé et de mortalité fœtale ou néonatale. Selon l'Organisation mondiale de la Santé (OMS), plus de 18 % des femmes enceintes vivant dans les pays industrialisés présentent une anémie* ferriprive ; ce chiffre varie entre 35 % et 80 % dans les pays en développement. En début de grossesse, les conséquences de cette anémie sont bien établies : les risques de prématurité et de faible poids du bébé (inférieur à 2,5 kg) sont respectivement 2,5 et 3 fois plus élevés chez les femmes souffrant d'anémie ferriprive en début de grossesse que chez celles qui développent une tout autre anémie. Cet écart suggère que c'est bien la carence en fer et non l'anémie qui en est responsable.
Dès le premier examen prénatal, la concentration de l'hémoglobine laisse augurer l'issue de la grossesse. Les valeurs basses comme les

valeurs hautes sont associées à un risque plus élevé de mortalité périnatale, de prématurité et de faible poids de naissance. En revanche, pendant le dernier trimestre, l'apparition d'une anémie* ferriprive n'augmente pas ces risques. C'est donc dès le début du premier trimestre que la carence en fer et l'anémie doivent être dépistées. Cela est d'autant plus important que, au-delà de trois mois de grossesse, les modifications physiologiques rendent difficile l'interprétation des proportions d'hémoglobine et de ferritine. Pendant les deuxième et troisième trimestres, l'expansion du volume plasmatique provoque une baisse de l'hémoglobine : elle ne constitue pas à proprement parler une anémie* car, tant que le taux d'hémoglobine reste supérieur à 9,5 g/100 ml, cela n'entrave en rien le bon déroulement de la grossesse. Si ce taux devient inférieur à 8 g/100 ml, l'anémie accroît le risque d'hypotrophie* fœtale. À l'inverse, un taux supérieur à 12,5 g/100 ml signe en général un défaut d'expansion du volume plasmatique, ce qui expliquerait le grand nombre de bébés de faible poids et nés prématurément. De la même façon, l'hypertension artérielle ainsi que le risque de pré-éclampsie* (syndrome caractérisé par des convulsions accompagnées de coma) vont en augmentant quand le taux d'hémoglobine est supérieur à 11,5 g/100 ml.
Au cours du dernier trimestre, le déficit ferrique entraîne parfois un état de grande fatigue, une diminution des capacités physiques, une résistance amoindrie à l'infection, enfin une anémie* pendant la grossesse ou après l'accouchement. Pour le nouveau-né, qui a puisé dans les réserves de sa mère, cela n'est pas pour autant synonyme d'anémie, mais la carence en fer joue peut-être un rôle dans la susceptibilité accrue aux infections et dans les troubles du comportement.

La supplémentation

Les besoins en fer de la femme enceinte sont le plus souvent couverts par une nourriture diversifiée et équilibrée, qui comprend des aliments d'origine animale, et suffisante, c'est-à-dire égale ou supérieure à 2 000 kcal (8 440 kJ) par jour. En revanche, pour certaines femmes à risque – les adolescentes, les femmes qui ont connu des grossesses rapprochées, celles qui ont des ménorragies (augmentation du flux menstruel) et celles qui ont une alimentation pauvre en fer héminique, présent dans la viande et dans le poisson –, une supplémentation médicamenteuse est justifiée. Le Collège national des gynécologues et des obstétriciens français (CNGOF) recommande, au cours du premier trimestre, un dépistage systématique de l'anémie* : si le taux d'hémoglobine est inférieur à 11 g/100 ml, il conseille de prescrire entre 30 et 60 mg/jour de fer jusqu'à la correction de l'anémie. Par ailleurs, certaines études suggèrent qu'une supplémentation orale intermittente, avec 60 mg de fer à absorption retardée, une à deux fois par semaine, est bien tolérée et tout aussi efficace. Utilisée à bon escient, cette supplémentation réduit les risques de prématurité et de faible poids de naissance, et améliore le taux en fer de la mère et du nouveau-né.

La toxicité

Pris à une dose supérieure à 3 g, le fer est parfois responsable d'une intoxication aiguë mortelle, en particulier chez l'enfant. Associé à la présence de vitamine C, un excès en fer risque d'augmenter le stress oxydatif : les radicaux libres ainsi produits causent des dégâts importants dans le côlon. Certaines prédispositions génétiques conduisent à une accumulation du fer dans les réserves de l'organisme. Liée à une hyper-absorption digestive, cette surcharge entraîne des dommages dans certains organes (le foie, le cœur, le pancréas...).

Le zinc

Cet oligo-élément participe à l'action de plus de deux cents enzymes, en particulier celles qui sont liées à la protection contre les radicaux libres et à la synthèse protéique ; le zinc intervient encore dans le renouvellement cellulaire, dans la cicatrisation et dans le renforcement des défenses immunitaires.

Les aliments

Le zinc se trouve avant tout dans les fromages, les céréales, le foie et la viande.

Les besoins de la femme enceinte

Ils sont assez minimes, représentant 100 mg sur neuf mois.
Les besoins quotidiens sont de l'ordre de 0,7 mg/jour pendant la seconde partie de la grossesse.

Les carences

Elles se rencontrent dans des circonstances précises : un régime hypocalorique ou végétalien ; une supplémentation en fer, car il existe un conflit, lors de l'absorption intestinale, entre le fer et le zinc ; une richesse de l'alimentation en phytates (fibres alimentaires), présents avant tout dans les aliments complets de type céréales ; une affection intestinale telle que la maladie de Crohn. Les complications liées à une carence en zinc touchent le fœtus (malformation congénitale, retard de croissance, faible poids de naissance) et la mère (hypertension artérielle gravidique*, pré-éclampsie*, hémorragie, infection, durée du travail prolongée).

La supplémentation

Selon certaines études, la supplémentation réduit le nombre de complications chez les mères à risque. Par ailleurs, certains états nécessitent une supplémentation : une maladie infectieuse, un traumatisme, une intoxication par le tabac ou l'alcool, un exercice physique intense. Une dose modérée de zinc s'avère parfois utile ; toutefois, elle ne doit pas dépasser six mois afin d'éviter la carence d'un autre oligo-élément : lors de l'absorption intestinale, il y a en effet conflit entre le cuivre et le zinc.

Le calcium

L'organisme d'un adulte renferme de 1 000 à 1 200 g de calcium, dont 99 % sont localisés dans les os. Ce calcium est en perpétuel renouvellement, ce qui le rend échangeable et disponible : la formation osseuse stocke le calcium et la résorption osseuse le libère. Ces processus se déroulent de façon simultanée, mais, selon l'âge de la personne, l'un d'entre deux prédomine, déterminant le bilan calcique. Pour être absorbable, le calcium doit être soluble dans le milieu gastrique acide. Cette propriété dépend de l'aliment dans lequel il est contenu ; tandis que la biodisponibilité du calcium présent dans les produits laitiers est de 25-30 %, celle du calcium présent dans les produits végétaux (céréales et légumes) n'atteint que 5 %. Certains facteurs physiologiques – l'état des besoins et des réserves, la régulation hormonale, le taux des apports calciques – influencent cette faculté d'absorption du calcium dans l'intestin ; par ailleurs, la perte urinaire de calcium est diminuée par des régimes à base de légumes et de fruits ou riches en bicarbonates.

Les aliments

Les besoins recommandés en calcium (qui varient, selon les pays, de 750 mg à 1 200 mg/jour) ne sont pas couverts si la consommation

de lait ou de produits laitiers n'est pas, et de manière impérative, quotidienne. En effet, les produits laitiers constituent les aliments les plus riches en calcium.
De plus, grâce au lactose et à la teneur en phosphore des laitages, ce calcium est très bien absorbé.
Excepté les produits laitiers, d'autres sources de calcium peuvent compléter ces apports : les céréales (son de blé), le poisson (sardine, anchois, bar, sole…) et les crustacés, les oléagineux (amandes, noisettes, noix…), les fruits (figue, cassis, datte…), les légumineuses (lentilles, pois, haricots…), les légumes (persil, cresson, épinard, pissenlit, oseille, betterave rouge, brocoli, haricots…).
La teneur en calcium de l'eau du robinet, qui varie selon les régions, contient en moyenne 40 mg/l ; certaines eaux minérales en bouteilles sont par ailleurs très riches en calcium : reportez-vous aux indications mentionnées sur les étiquettes des bouteilles.

Le rôle du calcium

Le calcium est extrêmement important pour la solidité des os et des dents, pour l'excitabilité neuromusculaire et les contractions musculaires, la conduction nerveuse et la perméabilité membranaire, la coagulation sanguine, la libération d'hormones et l'activation des enzymes, la synthèse de nombreuses enzymes qui jouent un rôle capital dans le métabolisme, la régulation de la tension artérielle.

Les besoins de la femme enceinte

Une alimentation riche en calcium est indispensable pour élaborer le squelette et la denture du fœtus, et pour préserver le capital osseux de la mère. Un produit laitier doit être présent à tous les repas de la femme enceinte : les apports recommandés sont de 1 200 mg/jour environ.
Les besoins de la femme enceinte sont considérablement accrus.
En effet, la grossesse accélère l'absorption intestinale et l'excrétion urinaire du calcium, ce qui entraîne une amplification du renouvellement des cellules osseuses : le calcium du squelette de la mère est ainsi mis à la

disposition de la croissance du fœtus. L'absorption du calcium augmente très tôt au cours de la grossesse. Le pourcentage absorbé, qui était auparavant de l'ordre de 33 %, atteint 54 % lors du dernier trimestre, soit environ 600 mg/jour, une quantité amplement suffisante pour les besoins du fœtus. L'absence de variation significative de la densité osseuse de la mère montre que ses propres réserves n'ont pas été mises à contribution durant le développement de son bébé.
Pendant l'allaitement, l'absorption du calcium retrouve des valeurs comparables à celles d'une femme non enceinte : l'excrétion urinaire diminue et les réserves minérales osseuses sont mobilisées.
Indépendamment de son rôle sur le métabolisme osseux de la mère et du fœtus, le calcium intervient à d'autres titres dans le bon déroulement de la grossesse ; un apport calcique élevé, qui ne doit pas toutefois dépasser 2 g/jour – la limite de sécurité – tendrait à diminuer la fréquence des troubles d'hypertension advenant parfois chez la femme enceinte. Cela est important car toute modification de la tension artérielle nuit à une transmission efficace des nutriments entre la mère et le fœtus ; elle est à l'origine de désordres qui menacent l'évolution même de la grossesse : certaines complications maternelles et néo-natales vont en effet jusqu'à provoquer un accouchement prématuré.
Un apport important de calcium diminue les risques d'hypertension chez le nouveau-né puis chez l'enfant ; il réduit également les risques de prématurité, de pré-éclampsie* (de 70 %) et de dépression* postnatale (de 50 %), également appelée « baby blues ».

Les besoins de la femme qui allaite

Les apports recommandés en calcium sont identiques à ceux qui ont été préconisés lors de la grossesse : soit autour de 1 200 mg/jour environ. Ils compensent les 200 à 300 mg/jour sécrétés dans le lait.
Pendant l'allaitement, la richesse du lait maternel est assurée par une réduction des pertes urinaires calciques et par le maintien de l'accélération du renouvellement des cellules osseuses de la mère.
À l'arrêt de l'allaitement, le renouvellement cellulaire diminue, mais l'absorption intestinale du calcium reste élevée.
Au cours de la grossesse, la mobilisation du calcium maternel au profit du développement du fœtus semble peu influencée par les apports calciques. En revanche, des données récentes indiquent que le lait maternel serait d'autant plus riche en calcium que les apports ont été importants au cours de la grossesse. Par ailleurs, les apports réalisés avant la conception et après

l'allaitement sont importants, car ils assurent à long terme le maintien d'une concentration calcique satisfaisante du squelette de la mère.

LES APPORTS NUTRITIONNELS CONSEILLÉS (EN MG/JOUR)

→ Pour une femme enceinte : 1 200 mg.
→ Pour une femme qui allaite (et après l'allaitement) : 1 200 mg.
→ Pour une femme âgée de plus de 55 ans: 1 200 mg.
→ Pour un homme âgé de plus de 65 ans : 1 200 mg.
→ Pour un adolescent âgé de 10 à 18 ans : 1 200 mg.
→ Pour un adulte âgé de plus de 18 ans : 900 mg.
→ Pour un enfant âgé de 4 à 9 ans : 800 mg.
→ Pour un enfant âgé de 1 à 3 ans : 500 mg.

Les carences

Une étude américaine portant sur trois cents femmes a montré que, trois mois après l'accouchement, il existait deux fois moins de dépression* postnatale chez les femmes qui avaient reçu des apports calciques supplémentaires pendant leur grossesse. En France, cette dépression touche entre 10 et 15 % des femmes. Celles qui sont issues d'un milieu socio-économique défavorisé ou celles qui se trouvent en situation précaire révèlent un risque plus élevé de développer cette affection. Le nouveau-né ne se sent pas alors en sécurité et témoigne parfois de troubles durables du comportement. Aujourd'hui, une consommation importante de lait ou de produits laitiers permet, d'une manière très simple, de prévenir cette dépression*.
La constance de la calcémie est assurée aux dépens des réserves calciques de l'os : aussi n'existe-t-il pas de signe de carence calcique modérée à court terme, excepté lors d'une carence alimentaire très sévère en calcium et/ou en vitamine D, ou d'un mauvais fonctionnement hormonal, qui conduit parfois à l'hypocalcémie et à diverses formes de tétanie (voir les carences en vitamine D, p. 20).
Par ailleurs, le rôle du calcium dans la contraction musculaire étant primordial, des carences en calcium, en vitamine D et en phosphore risquent de provoquer des crampes et des fatigues musculaires.
À long terme, les carences - qui adviennent aussi chez les adolescents au pic de leur croissance et chez les femmes ménopausées - provoquent le rachitisme et l'ostéoporose.

La supplémentation

La prise d'un supplément calcique ne présente aucun effet sur l'évolution de la densité osseuse ni sur la teneur en calcium du lait maternel. Après le sevrage du nourrisson, la déminéralisation osseuse de la mère se corrige de façon spontanée et sans doute intégrale : le fait que ni la durée de l'allaitement ni le nombre d'enfants allaités ne constituent un facteur de risque d'ostéoporose le laisse supposer.

La toxicité

Des apports en calcium supérieurs à ceux prescrits pour une thérapeutique (une augmentation de la densité minérale osseuse ou une diminution de la pression artérielle) et allant jusqu'à 1 700 mg ne semblent pas avoir de conséquences néfastes chez le sujet sain.
Toutefois, des apports élevés et prolongés conduisent parfois, chez des personnes sensibles, à une hypercalciurie (trop grande quantité de calcium dans les urines), donc à une lithiase urinaire (formation de calculs) et à une néphrocalcinose (calcification des néphrons du rein) ; ce risque est aggravé en cas d'hypervitaminose D.
Enfin, un excès de calcium alimentaire peut avoir des conséquences importantes, notamment inhiber l'absorption intestinale d'autres minéraux tels que le magnésium, le zinc et surtout le fer. Il semble donc prudent de maintenir la limite de sécurité en dessous de 2 g/jour.

Le potassium

Les aliments

Les principales sources de potassium sont les fruits (en particulier la banane), les légumineuses, la viande, le poisson ainsi que le chocolat.

Les besoins de la femme enceinte

Les besoins en potassium sont d'environ 3,5 g/jour.

Les carences

Les carences en calcium coïncident souvent avec un manque de magnésium, et les symptômes se recoupent : une faiblesse musculaire, qui constitue parfois une cause de constipation en raison du faible tonus de l'intestin, une paralysie, des nausées et des vomissements. Ces signes correspondent à des déséquilibres de la répartition du potassium entre les milieux intra et extracellulaires, La plupart des troubles se manifestent par une

rétention d'eau et lui sont associés. Quand la carence en potassium est sévère - exceptionnel -, il existe un risque cardiaque grave.

Le phosphore

Après le calcium, le phosphore est le deuxième minéral qui se trouve en abondance dans notre corps. Il est réparti entre le squelette, les muscles et les tissus mous.

Les aliments

Pour la femme enceinte, la levure alimentaire, les produits laitiers, le germe de blé, le musli, le cacao, les œufs, les oléagineux (pistaches, amandes...), les légumineuses (haricots blancs), les graines de tournesol et de sésame sont d'excellentes sources de phosphore.

Le rôle du phosphore

Associé au calcium, le phosphore joue un rôle fondamental dans le métabolisme des os.
Il se combine aux lipides afin de former des composés essentiels des tissus nerveux.
La vitamine D et le calcium sont essentiels à son action ; de même, certaines vitamines appartenant au groupe B ont besoin de phosphore pour être assimilées.

Les besoins de la femme enceinte

Les besoins sont d'environ 550 mg/jour.

Les carences

Des carences en phosphore entraînent parfois des troubles de la croissance avec altération des os et des dents.

Le magnésium

Contenu en abondance dans notre corps, le magnésium se situe pour moitié dans les tissus osseux. Il régule également, dans les tissus musculaires, cardiaques et nerveux, le métabolisme des glucides et des lipides.

Les aliments

Les principales sources de magnésium sont le cacao, les légumineuses (soja, haricots blancs, lentilles...), les oléagineux (graines de tournesol et de sésame, les amandes, les noix, les noisettes...), les céréales (flocons d'avoine, son de blé, sarrasin, maïs, pain complet et pain blanc...) et le lait. Certaines eaux minérales témoignent d'une richesse en magnésium comprise entre 50 mg et 110 mg/100 g.

Les besoins de la femme enceinte

En général, le taux de magnésium dans le sang baisse au cours de la grossesse ; quant au magnésium myométrial (contenu dans le myomètre, le muscle de l'utérus), il ne diminue qu'à la fin du dernier trimestre : durant le 8e mois, à partir de la 35e semaine de grossesse. Cette expression neuromusculaire du déficit en magnésium participe à la physiopathologie des crampes gravidiques* et des « troubles sympathiques », relatifs au système nerveux. Durant l'accouchement, il existe une corré-lation inverse entre l'intensité de la douleur ressentie et le magnésium intracellulaire des globules blancs : pendant le travail, le stress de la douleur provoque une diminution supplémentaire de la quantité de magnésium de l'organisme.

Les carences

En France, 23 % des femmes et 18 % des hommes consomment moins de deux tiers des apports nutritionnels conseillés. Aux États-Unis comme en Europe, la consommation quotidienne de magnésium se situe souvent en deçà de l'apport adéquat de 6 mg/kg de poids : une grande partie de la population présente donc une déficience chronique, primaire, modérée ou marginale. Chez les femmes, la déficience chronique primaire est un facteur de dysménorrhée (des règles irrégulières et douloureuses), d'oligospanioménorrhée (des règles irrégulières précédant l'aménorrhée*, pouvant provoquer une absence d'ovulation) et d'une fécondité amoindrie. Chez les femmes enceintes, la déficience magnésique joue un rôle dans le déroulement de la grossesse et dans la qualité de la nutrition fœtale ; induite par l'anabolisme (phase du métabolisme qui comprend les phénomènes de biosynthèse) de la femme enceinte, l'augmentation des besoins en magnésium ajoute encore au déficit. Face à un apport insuffisant en magnésium, notre organisme développe parfois, par compensation, une réduction de la magnésurie (concentration du magnésium dans les urines et, par extension, élimination du magnésium), mais cela reste assez peu fréquent. Enfin, le déficit magnésique joue peut-être, en particulier chez les prématurés, un rôle dans la genèse du syndrome de détresse respiratoire et dans celle d'autres pathologies, plus rares encore.

La supplémentation

Les effets d'une supplémentation nutritionnelle ont été largement amplement sur les mères : ils se traduisent en particulier par une réduction assez importante des hémorragies, des fausses couches et des accouchements prématurés. Quant aux effets d'une supplémentation en magnésium sur le développement du fœtus, ils sont également sensibles : en effet, la croissance intra-utérine présente moins de retard, et les nouveau-nés montrent un poids, une taille et une circonférence du crâne plus élevés. Toutefois, les conséquences d'un trouble de la nutrition fœtale doivent être suivies au-delà du court terme : une déficience gravidique* négligée serait ainsi à l'origine de formes dites constitutionnelles de ce qu'on appelle la « spasmophilie ». Afin d'améliorer la formation et le fonctionnement des neurones, peut-être serait-il bon que, dès le début de leur grossesse – et si possible avant la conception, dès l'arrêt de la contraception –, toutes les femmes intègrent dans leur alimentation un apport nutritionnel supplémentaire de 300 mg de magnésium par jour, pris en trois fois. L'anabolisme accru de la femme enceinte justifie une supplémentation dépassant quelque peu les apports nutritionnels conseillés (ANC). Cela donnerait le maximum de chances à la mère comme à son futur enfant, et cela pour toute sa vie.

Le sélénium

Cet oligo-élément doit son nom à la déesse grecque de la Lune, Selênê, une femme à la blancheur éclatante parcourant les cieux sur un char d'argent... Sans doute est-ce pour la ressem-blance du sélénium avec le tellure, un élément qui se rencontre à l'état natif sous forme de cristaux blancs. Jadis considéré comme toxique, le sélénium est l'exemple type d'un oligo-élément essentiel « nouveau » ; à des doses convenables, il occupe une place physiologique de premier ordre. Dans la nature, le sélénium est combiné à d'autres métaux et prend le nom de séléniure métallique, séléniure de soufre, séléniure de cuivre...

Les aliments

Foie et viande, poisson, œufs, riz et fromages sont les principales sources de sélénium.

Le rôle du sélénium

Plusieurs recherches ont permis de mettre en évidence le rôle protecteur de cet oligo-élément dans de nombreuses maladies. En effet, le sélénium protège contre l'agression des radicaux libres qui, capables d'endommager les membranes cellulaires et le noyau, favorisent la cancérisation et le vieillissement.

Les carences

Selon une étude menée dans le Val-de-Marne en 1994, 30 % des Français sont en déficit de sélénium.

Le manganèse

Les aliments

Les légumes à feuilles vertes (épinard et laitue), les céréales complètes issues de l'agriculture biologique, les légumineuses (soja), la betterave rouge, les fruits (framboise, myrtille, ananas et banane), les oléagineux (noix et noisettes), le jaune d'œuf, le foie, les huîtres, les fromages et la choucroute constituent les principales sources de manganèse.

Le rôle du manganèse

Cet oligo-élément est nécessaire au renforcement des défenses antioxydantes de notre organisme ainsi qu'au métabolisme des glucides et des lipides. Le manganèse possède également un effet sur la physiologie des fonctions cérébrales.

Les besoins de la femme enceinte

Un apport de 1,4 mg jour est recommandé.

L'EAU

L'eau est la seule boisson indispensable : dix verres par jour, soit 1,5 l, sont recommandés. Pour les boissons alcoolisées, pensez que votre bébé les supporte beaucoup moins bien que vous, alors n'en abusez pas ; sachez que le cidre contient moins d'alcool que la bière, elle-même en contenant moins que le vin. Préférez-leur des tisanes, des jus de fruits, du lait et des potages, qui apportent davantage de vitamines et moins de sucre.
Le café, le thé, le chocolat et les sodas contiennent des substances non toxiques mais qui sont excitantes pour la mère et le fœtus – ainsi la caféine. Leur consommation est à limiter. Par ailleurs, l'un des facteurs de prévention contre l'infection urinaire de la femme enceinte est d'augmenter sa quantité quotidienne de boissons. Cela aide aussi à lutter contre la constipation.

LES LIPIDES

Les lipides, ou corps gras, sont présents dans les aliments sous deux formes principales : les triglycérides et les phospholipides, eux-mêmes constitués en majeure partie d'acides gras. Les lipides comprennent d'autres molécules, par exemple le cholestérol.
Les acides gras sont donc des composants des lipides, qui forment la structure principale des membranes biologiques. Le

dévelop-pement de ces membranes est fortement accru dans le système nerveux - les cellules, les axones, les dendrites, la myéline...

Les acides gras

Les acides gras sont des molécules formées de carbone et d'hydrogène. On en distingue plusieurs types.
Les acides gras « saturés » (les atomes de carbone sont saturés en hydrogène) sont les moins intéressants pour notre organisme ; une consommation importante élève notamment le taux de cholestérol dans le sang.
Les acides gras « mono-insaturés » (deux atomes de carbone sont reliés par une double liaison) comprennent notamment l'acide oléique.
Les acides gras « poly-insaturés » (plusieurs paires d'atomes de carbone sont reliées par des doubles liaisons) sont divisés en acides gras oméga-3 (ou n-3), parmi lesquels l'acide alpha-linolénique, et en acides gras oméga-6 (ou n-6), parmi lesquels l'acide linoléique.
Certains de ces acides gras poly-insaturés sont dits « essentiels » car seule l'alimentation est apte à couvrir nos besoins, notre organisme n'étant pas capable de les synthétiser.
Il est donc indispensable de diversifier les matières grasses afin de faire varier les proportions des différents acides et de privilégier certains acides poly-insaturés.

Les aliments

Il est vivement recommandé de ne pas limiter sa consommation de matières grasses et d'en consommer quotidiennement sous des formes différentes : par exemple 20 g à 30 g de beurre cru (pour les acides gras saturés), qui se digère facilement, est riche en vitamine A et possède un goût savoureux ; 2 cuillerées à soupe d'huile d'olive (pour l'acide oléique) ou de colza, de noisette, de soja, de sésame, de tournesol, de noix, de pépins de raisin, de germe de blé... (pour les acides gras mono et poly-insaturés).
Le reste peut être apporté par des aliments tels que le fromage, la viande et le poisson.

Le rôle des lipides

Les acides gras essentiels interviennent dans la fabrication des membranes biologiques et la formation des tissus, dans la lutte contre l'inflammation et le maintien de l'intégrité de la peau, dans le fonctionnement plaquettaire, la régulation de la lipémie - les acides gras oméga-6 ont un effet hypocholestérolémiant (ils abaissent le taux de cholestérol) -, la réponse immunitaire, le développement et la physiologie de la rétine, du cerveau et du système nerveux. Tous ces rôles sont fondamentaux.

Les besoins de la femme enceinte

Le fœtus et le placenta requièrent des apports accrus en acides gras essentiels. Ainsi, le système nerveux central est très riche en acide arachidonique et en acide docosahexaénoïque, ou acide cervonique (acide gras oméga-3), qui sont tous deux des acides gras poly-insaturés à longue chaîne (contenant plus de dix-huit atomes de carbone). Présent dans les poissons gras, l'acide cervonique est également issu de l'élongation, dans l'organisme, de l'acide alpha-linolénique, qui se trouve dans les huiles de colza, de noix et de soja.
L'apport lipidique est très important pour la croissance du fœtus non seulement sur un plan quantitatif, mais aussi, et surtout, sur un plan qualitatif : l'équilibre entre les deux principales familles d'acides gras essentiels, les oméga-3 et les oméga-6, est donc déterminant.
Lors du dernier trimestre intervient le pic de croissance du cerveau : le fœtus doit alors être alimenté en acides gras essentiels - en acide linoléique, en acide alpha-linolénique, en acide arachidonique et en acide cervonique. Si les apports alimentaires sont faibles, les tissus adipeux de la mère fourniront uniquement l'acide linoléique - mais non les autres.
Sauf en cas de problème de poids, la femme enceinte n'a pas à limiter sa consommation de lipides. Ces derniers apportent au fœtus les vitamines indispensables : 25 g de beurre fournissent par exemple 20 % des apports quotidiens recommandés en vitamine A.
La grossesse provoque une augmentation normale des lipides, accompagnée d'une hausse du taux du cholestérol total et du cholestérol LDL ; le cholestérol HDL, quant à lui, ne varie pas ; afin d'éviter toute vaine inquiétude, il est inutile de les doser. Cette augmentation reflète les besoins énergétiques croissants de la mère comme du fœtus et n'est pas liée au type d'alimentation ou à ses modifications. Ces conseils revêtent plus d'importance encore pour des grossesses rapprochées et pour des jumeaux.

Les carences

La manifestation la plus précoce d'une carence en acides gras essentiels est l'apparition, dans les lipides contenus dans le plasma, de l'acide eicosa-triénoïque, un dérivé de l'acide oléique. Pour une femme en bonne santé, un apport d'acide linoléique atteignant entre 3 et 4 % du contenu énergétique de son alimentation est nécessaire pour prévenir une carence - tout en sachant que l'apport énergétique d'origine lipidique ne doit pas dépasser 33 à 35 % de l'apport total.
Les effets de carences en acide linoléique ont été démontrés

dans les années 1950-1960 : des nourrissons âgés de deux semaines à douze mois avaient été alimentés avec du lait de vache demi-écrémé, qui comportait seulement 0,1 % de l'énergie sous forme d'acide linoléique. Ce régime nutritionnel entraîna assez rapidement, chez les enfants, une diminution du gain de poids journalier, une kératinisation de la peau (prenant un aspect sec, squameux), des lésions eczémateuses ainsi qu'une chute des cheveux. Tous ces symptômes sont aujourd'hui corrigés par des apports en acide linoléique ou arachidonique. Selon des études récentes, les femmes qui connaissent leur première grossesse ont un taux plus élevé en acide cervonique - qui intervient dans la formation du système nerveux central - que celles qui ont déjà eu plusieurs enfants.
L'effet d'un apport en acide cervonique supérieur à la moyenne n'est pas déterminé ; en revanche, on a observé, lors de tests de cognition (concernant les processus d'apprentissage), que les bébés nourris au biberon - sans supplément en acide cervonique - réagissaient moins bien que les bébés nourris au sein. Le lait maternel contient en effet les acides gras essentiels à longue chaîne qui font défaut aux laits industriels ; la différence est plus grande encore chez les prématurés. Ces résultats plaident en faveur de l'allaitement maternel.

NO STRESS

LES ALIMENTS ESSENTIELS

LES CÉRÉALES ET LES OLÉAGINEUX

Les céréales et les oléagineux sont des sources importantes en glucides complexes ; leur digestion étant assez lente, ils fournissent de l'énergie à diffusion progressive. Ils apportent aussi des protéines, des vitamines, des minéraux, des fibres et, pour certains d'entre eux, des acides gras essentiels.

Les céréales

Les principales céréales sont le blé, l'avoine, le riz, le maïs, le seigle, l'orge, le sarrasin, le millet et le sorgho. Excepté le sarrasin, toutes les céréales sont des graminées. Elles sont utilisées soit sous forme de flocons ou de grains, soit sous forme de farine, de semoule, et apparaissent dans de nombreux aliments : le pain, les pâtes, les crêpes ou les gâteaux ; en Italie, la polenta est réalisée à partir de farine de maïs – en Corse, c'est de la farine de châtaigne.
Il est conseillé d'inclure tous les jours dans son alimentation six à huit portions de céréales : elles fourniront ainsi les quantités d'énergie nécessaires au déroulement de la grossesse et au développement du bébé.
Les céréales complètes (riz, pâtes, pain...) offrent plus de fibres et de vitamines du groupe B. Le musli du petit-déjeuner est souvent enrichi en vitamines et en minéraux.

Le riz

Le riz, en particulier le riz complet, est une source importante de vitamines du groupe B ; il contient aussi du calcium, des glucides complexes (amidon), des fibres protéiques et de nombreux

minéraux. Il existe plus de mille variétés de riz, et celui-ci peut subir des traitements différents après la récolte (riz complet ou brun, blanc, semi-complet, étuvé, précuit...). Citons le riz rouge de Camargue, le riz basmati, le riz rond japonais, le riz thaï... Le riz sauvage n'est pas du riz mais une céréale cultivée dans des zones marécageuses ; il est souvent mélangé à du riz.

Le pain

Pauvre en lipides et en calories, le pain procure de l'énergie sous forme de glucides complexes. Les pains aux céréales et les pains complets sont plus rassasiants, plus riches en fibres, ce qui facilite le transit intestinal : quatre portions quotidiennes fournissent la moitié des apports recommandés en fibres. Tous les types de pains contiennent des fibres, de la vitamine E et des vitamines du groupe B, parmi lesquelles l'acide folique (vitamine B9). Les pains aux céréales et les pains complets contiennent aussi du fer.

Les pâtes

Réalisées à partir de céréales moulues avec de l'eau, en général de la semoule de blé, les pâtes constituent d'excellentes sources de glucides complexes. Elles sont pauvres en lipides et en calories ; elles contiennent de la vitamine B6 et des protéines, nécessaires à la formation des organes et des tissus du fœtus.

Les oléagineux

Les oléagineux sont des plantes, des graines ou des fruits dont est extraite de l'huile. Les noisettes, les noix, les

noix du Brésil, les noix de cajou, les amandes, les pistaches, le sésame, le tournesol, les cacahouètes, les olives et les graines de lin sont riches en protéines, en vitamines, en minéraux et en acides gras essentiels.
Les amandes et les noisettes, par exemple, sont très riches en protéines ; elles apportent des minéraux, de la vitamine E et B, mais sont assez caloriques. Les noix, les noix du Brésil et les graines de lin sont riches en oméga-3, des acides gras essentiels qui, parce qu'ils ne sont pas fabriqués par notre organisme, doivent provenir de notre alimentation. Les graines de tournesol ou de sésame apportent des fibres et des minéraux ; les huiles correspondantes sont riches en acides gras poly-insaturés.
Les graines de lin constituent une option très intéressante sur le plan nutritif et peuvent être associées avec les céréales du petit-déjeuner, un yaourt ou une salade.

LES LÉGUMINEUSES

Riches en protéines, en fibres et en glucides complexes, les légumineuses sont très nutritives et constituent d'excellentes solutions de substitution végétarienne à la viande.
La plupart des légumineuses sont des plantes dont les fruits sont des gousses. Elles sont notamment très riches en minéraux : en fer, en potassium (nécessaire pour un cœur et des nerfs en bonne santé et pour une tension artérielle normale), en phosphore (requis pour la formation des os et des dents et pour la production énergétique), en magnésium (indispensable pour les muscles et les nerfs) et en manganèse (utile pour la

production hormonale et osseuse). Un plat qui combine légumineuses et céréales apporte une ration protéique complète, contenant tous les acides aminés dont l'organisme a besoin ; cela est important pour les végétaliennes et les végétariennes. Les fibres solubles, présentes dans toutes les légumineuses, aident à lutter contre la constipation et à maintenir un taux de glucose normal. Les légumineuses en conserve restent très nutritives et présentent l'avantage d'être rapides et faciles à préparer. Toutefois, la quantité de sodium peut être plus élevée que celle contenue dans les haricots frais ; ne privilégiez donc aucune variété enrichie en sel. Pour consommer les légumes secs, il faut les immerger et mener la cuisson jusqu'à son terme : les haricots secs, en particulier les haricots rouges, contiennent en effet une toxine naturelle, qui sera heureusement détruite au moment de la cuisson.

Haricots, fèves, lentilles...

Parmi les légumineuses figurent les haricots (blancs, rouges, jaunes, borlotti...), le haricot mung ou « soja vert » (consommé sous forme de germes de « soja »), les fèves, les lentilles (lentilles vertes du Puy, lentillons champenois, lentilles indiennes, ou dahl...) et les pois (pois secs, pois cassés, pois chiches...).

Le soja

Originaire d'Extrême-Orient, le soja est une plante proche du haricot. Il est aujourd'hui la légumineuse la plus consommée dans le monde. À partir du soja sont réalisées de nombreuses préparations. Appelé « fromage » ou « pâté » de soja, le tofu est obtenu par caillage

puis par égouttage du tonyu, ou « lait » de soja ; se présentant sous forme solide, parfois en cubes, il est préparé de manières très variées. Originaire d'Indonésie, le tempeh est obtenu à partir de graines de soja cuites puis fermentées ; il entre également dans la composition de divers plats. Le tonyu, ou « lait » de soja, peut être consommé nature, sucré, enrichi en calcium ; il est présent dans des crèmes et des desserts. Sans oublier la sauce de soja, le soja haché ou la farine de soja. Le soja constitue un apport nutritif important pour ce qui est des fibres, des vitamines, des minéraux et des acides gras essentiels, en particulier des acides gras oméga-3, qui favorisent la prévention de certains cancers et des maladies cardiaques. Parmi les produits végétaux, le soja constitue l'une des sources privilégiées de protéines, car il contient tous les acides aminés. Le soja est composé d'environ 35 % de protéines et de 20 % de lipides.

LE FER

Pendant toute la grossesse, les besoins en fer sont accrus. Il est donc utile de privilégier les aliments riches en fer (les légumineuses, les céréales, les oléagineux, la viande, les fruits et les produits laitiers) afin de se constituer des réserves et de pourvoir au bon développement du fœtus. Ce dernier ira en effet puiser dans vos réserves, qui s'épuiseront vite si votre alimentation n'apporte pas assez de fer. Nombreuses sont les femmes qui révèlent des réserves trop faibles, et une supplémentation est alors prescrite; elle gêne parfois l'absorption d'autres aliments et favorise la constipation.

LA VIANDE, LA VOLAILLE, LES ŒUFS ET LE POISSON

Voici d'excellentes sources de protéines et de minéraux, notamment de fer et de zinc. Les protéines animales – qui se trouvent également dans les produits laitiers – apportent les huit acides aminés indispensables à notre organisme.

La viande et la volaille

Les besoins protéiques quotidiens d'une femme enceinte augmentent de 6 g. Pour les satisfaire, deux à trois portions d'aliments riches en protéines suffisent. Le bœuf, l'agneau et le poulet constituent d'excellentes sources ; le fer est bien absorbé. Choisissez les morceaux les plus maigres ; mangez la volaille sans la peau afin de limiter les apports en acides gras saturés ; associez ces protéines animales à des protéines végétales. N'abusez pas du foie et des produits qui en dérivent : leur haute teneur en vitamine A pourrait être néfaste pour le fœtus.

Les œufs

Les œufs possèdent une grande valeur nutritionnelle : ils sont riches en vitamines et en minéraux, notamment en vitamines A, D, E, B, en calcium et en fer. Beaucoup de femmes évitent les œufs, les accusant à tort d'être gras et caloriques : un œuf moyen contient 70 kcal (295 kJ)/100 g seulement. Ils constituent aussi une excellente source protéique pour celles qui ne consomment pas de viande. Les œufs entrent dans la composition de nombreuses
recettes et peuvent constituer des en-cas intéressants : ils sont utiles dans les périodes où l'on fractionne ses prises alimentaires, préférant des collations à des repas copieux, difficiles à digérer. Assurez-vous de la bonne cuisson des œufs ; évitez les préparations qui contiennent de l'œuf cru, par exemple les mayonnaises et certaines sauces.

Le poisson

Tous les types de poissons sont nutritifs et pauvres en calories. Ils constituent de bonnes sources de protéines, de vitamine B12, de minéraux et d'oligo-éléments tels que l'iode et le sélénium. Achetez-les frais, congelés ou en boîte ; vite cuit et préparé, un plat de poisson s'insère facilement dans un menu. Une portion de 100 g contient la moitié de l'apport protéique recommandé par jour : les protéines sont indispensables à la constitution et au développement des muscles, des os, des cheveux, des principaux organes, à la production des hormones et des anticorps, à la fabrication des cellules sanguines supplémentaires nécessaires pendant la grossesse.

Les poissons maigres

Les principaux poissons maigres sont le bar (ou loup), la raie,

la sole, le merlan, le cabillaud (ou églefin ; le haddock est de l'églefin fumé) et le carrelet (ou plie). Ils sont à privilégier si vous souffrez de problèmes digestifs. Ils contiennent du fer et du sélénium.

Les poissons gras

Les principaux poissons gras sont le maquereau, le flétan, l'anguille, le thon, la sardine, le saumon, la truite, le hareng et l'anchois. Ils sont riches en vitamine D et en acides gras oméga-3 (voir p. 37), qui aident à maintenir une tension artérielle normale et sont indispensables au développement du fœtus. Les poissons gras restent peu caloriques. Assurez-vous de la fraîcheur du poisson pour éliminer tout risque de contamination bactérienne et d'intoxication alimentaire, en particulier avec les huîtres et les fruits de mer décortiqués tels que les crevettes roses, les moules et le crabe. Évitez si possible les poissons fumés, les œufs de lump et le caviar. Une supplémentation en huile de foie de morue est déconseillée aux femmes enceintes afin d'écarter tout surdosage en vitamine A. Il suffit de consommer des poissons gras au moins deux fois par semaine.

CAROTTES, POMMES DE TERRE, COURGES...

Les légumes sont très riches en vitamines, en minéraux, en antioxydants et en fibres ; ils fournissent de l'énergie sous forme de glucides. Il est préférable de les consommer crus ou à peine cuits, croquants, car la cuisson détruit la vitamine C et la vitamine B9 (acide folique) : privilégiez les modes de cuisson à la vapeur, à l'autocuiseur ou au micro-ondes.
Chaque fois que vous avez un petit

creux, c'est-à-dire chaque fois qu'un besoin énergétique se fait sentir, grignotez des légumes crus, par exemple des carottes, en guise de collation, car ils aident à maintenir un taux de glucose normal dans le sang. C'est beaucoup mieux que des chips...
Les légumes issus de l'agriculture biologique sont cultivés sans pesticides, sans herbicides ni engrais chimiques. Un grand nombre de légumes « bio » sont aujourd'hui largement disponibles dans la plupart des supermarchés, sur les principaux marchés ainsi que dans les magasins spécialisés.
En France, le marché des aliments biologiques, qui va des légumes aux produits laitiers en passant par les céréales et les oléagineux, progresse de 20 à 25 % chaque année.
Tous les aliments doivent porter le label « AB » (« agriculture biologique »), attribué par des organismes indépendants, tel Écocert : ils attestent qu'un certain nombre de règles ont été respectées. Tout en visant à préserver l'environnement, l'agriculture biologique préserve aussi la qualité nutritionnelle des aliments.

La carotte

La carotte représente une source importante de bêtacarotène, qui est un anti--oxydant puissant et un précurseur de la vitamine A (voir p. 15) ; elle contient également des fibres et du potassium.

La betterave rouge

La betterave rouge apporte de l'acide folique, de la vitamine A et C et du potassium. Consommée crue ou cuite, elle est riche en glucides.

La pomme de terre

La pomme de terre constitue une source importante de vitamine C et de vitamines du groupe B, de fibres, de magnésium et de potassium. Riche en amidon (glucides complexes), elle fournit de l'énergie à diffusion progressive et se montre donc rassasiante.

La patate douce

Riche en bêtacarotène, en vitamine C, en fibres et en potassium, la patate douce apporte, à l'instar de la pomme de terre, une part importante de glucides complexes.

Les courges

À la famille des cucurbitacées, ou courges, appartiennent la citrouille, le potiron, la courgette, le concombre, le melon, la pastèque, la coloquinte, le pâtisson, le potimarron... Ces légumes sont des sources en bêtacarotène, en potassium, en magnésium et en vitamine C. Légers et très peu caloriques, ils sont à privilégier à la fin de la grossesse, quand la digestion est souvent difficile. Ajoutez dans votre potage des graines de courge : elles apportent des minéraux et des oligo-éléments, en particulier du fer et du zinc.

LES FIBRES

Les fibres ralentissent l'absorption des glucides, diminuent le taux de cholestérol dans le sang et interviennent dans la régulation du transit intestinal. Quand on est enceinte, la digestion devient plus lente et des problèmes de constipation peuvent alors survenir. Il est donc nécessaire d'avoir un apport en fibres régulier. Il existe deux types de fibres : les fibres solubles, présentes dans les légumes, les légumineuses, les fruits et les flocons d'avoine, et les fibres insolubles, présentes dans les céréales. Il est utile d'en consommer des deux types.

LÉGUMES VERTS, SALADES, TOMATES ET AROMATES...

Les salades, les légumes verts ainsi que toutes les plantes utilisées en aromates ont une faible teneur en lipides et sont pauvres en calories ; à l'opposé, ils sont particulièrement riches en minéraux, en antioxydants et en fibres. Tous ces légumes sont donc largement à privilégier dans le régime alimentaire d'une femme enceinte.

Les salades et les légumes verts

L'épinard, le cresson et les différentes variétés de salades sont des sources vitaminiques majeures. De même que les brocolis, les choux de Bruxelles et les haricots verts, ces légumes constituent une excellente source en acide folique (vitamine B9), indispensable au développement du système nerveux du fœtus (voir p. 16).

Un grand nombre de légumes frais mangés en salade représentent d'excellentes sources de vitamine C, laquelle est essentielle pour la formation de la peau, des os, des cartilages, des dents et pour la consolidation du système immunitaire. Les légumes les plus riches en vitamine C sont le persil, le poivron rouge et le poivron vert, le radis noir, le cresson, la ciboulette, le chou-fleur, le chou de Bruxelles, le brocoli, l'oseille, l'épinard et le radis. Riches en fibres, les légumes préviennent les divers problèmes de constipation et de digestion difficile ; très pauvres en calories et en lipides, ils permettent de garder un « poids-santé » ; par ailleurs, ils apportent des antioxydants. Mangez les légumes crus ou très peu cuits afin de préserver au maximum

leur teneur vitaminique. Incluez dans vos en-cas toutes sortes de légumes crus : ils satisferont vos envies.

Les choux

Parmi les nombreux légumes appartenant à la famille des choux, citons le chou frisé, le chou de Bruxelles, le chou blanc, le chou vert et le chou rouge, le chou chinois, le chou de Milan, le brocoli et le chou-fleur. Il existe plus de quatre cents variétés de choux. Tous ces légumes constituent de très bonnes sources de fibres et de vitamine C. Par ailleurs, le chou frisé et le brocoli contiennent des quantités assez importantes de fer, de vitamine B9 et de vitamine E.

La tomate

La tomate représente une source importante de caroténoïdes - dont le lycopène - et d'autres antioxydants, qui aident à protéger le corps du fœtus durant son développement. À l'instar de la plupart des légumes, la tomate est très peu calorique et fournit des quan-tités importantes de vitamine C, de fibres ainsi que de potassium. La tomate peut être consommée crue ou cuite, en salade ou en confiture... Ses espèces sont extrêmement variées, allant de l'olivette à la tomate cerise.

L'ail

L'ail possède des propriétés antivirales et antibactériennes naturelles, qui sont très utiles pendant le premier trimestre de la grossesse pour se protéger des infections. Consommer régulièrement de l'ail est bénéfique, en particulier pour fluidifier le sang, abaisser la tension artérielle, prévenir les risques de

thrombose (formation d'un caillot dans un vaisseau sanguin)...

Les aromates

Certaines plantes, herbes et racines utilisées comme aromates, tels la menthe, le fenouil ou le gingembre, aident à diminuer les nausées et parfois les vomissements. Plat ou frisé, le persil constitue une source majeure en vitamine C et en fer. Ajoutez-le dans les salades et dans tous vos plats.

LES FRUITS

Les fruits sont riches en antioxydants, en provitamine A (bêtacarotène), en vitamine C et en potassium ; ils présentent également le grand avantage d'être pauvres en lipides et en calories. Il est vivement recommandé de consommer tous les jours au moins deux à trois portions de fruits, pendant les repas ou comme en-cas : qu'il s'agisse de fruits frais, de fruits séchés, de fruits en conserve, de jus de fruits ou encore de compotes. Dans la mesure du possible, évitez les jus qui ont été enrichis en vitamine C et que l'on trouve dans le commerce. Préférez-leur des jus de fruits frais pressés. À l'instar des légumes, la cuisson, la conser-vation et la coupe des fruits détruisent un grand nombre de vitamines. Mangez-les plutôt crus ; n'enlevez pas la peau des poires, des pommes ou des pêches, car c'est elle qui contient des fibres et des nutriments. Lavez toujours très soigneusement les fruits.

Les agrumes

L'orange, le pamplemousse, le pomelo, le citron jaune, le citron vert (ou lime), la mandarine, la clémentine et la tangerine

représentent d'excellentes sources de vitamine C. Rafraîchissants, peu caloriques, les agrumes sont à consommer à la fin d'un repas, en salade de fruits ou comme en-cas.

La banane

Riche en glucides, en potassium et en magnésium, en vitamine C, en vitamine B6 et en fibres, la banane constitue un en-cas nutritif et très rassasiant.
C'est une erreur de croire que la banane fait grossir. Une banane moyenne apporte les mêmes calories (92 kcal, soit 388 kJ/100 g) que la plupart des autres fruits. Une collation composée d'une banane et d'un yaourt est une excellente association nutritionnelle.

Les baies

Les baies sont des fruits charnus, dont les graines ou les pépins sont dispersés dans la pulpe.
Les principales baies que nous consommons sont la fraise, la groseille, le cassis, la mûre, la framboise et le raisin. Toutes contiennent de la vitamine C. De tous les fruits, c'est le cassis qui est le plus riche en vitamine C (200 mg/100 g).

Les airelles

Les airelles comprennent quelque cent cinquante espèces. Parmi elles figure la myrtille : celle-ci contient une substance antibactérienne qui s'est avérée efficace pour soulager les infections urinaires, telle la cystite, assez courante chez les femmes enceintes.
La myrtille constitue une source de vitamine C et autres antioxydants. Vous pouvez manger des airelles fraîches, congelées, en jus, en coulis,

en gelée, ou encore associées à des céréales complètes et à un yaourt lors du petit-déjeuner.

LA VITAMINE C

La vitamine C, ou acide ascorbique, est une vitamine hydrosoluble. Elle est indispensable au bon fonctionnement du système immunitaire et à la formation du tissu conjonctif, tel que le collagène, qui est nécessaire à la formation de la peau, des os, des cartilages et des dents.
La vitamine C améliore également l'absorption du fer. Parce qu'elle ne peut être fabriquée par notre organisme, elle doit être apportée par l'alimentation.
Associée à la vitamine C, la vitamine E peut développer l'ensemble de ses propriétés antioxydantes (voir p. 18).
Les fruits les plus riches en vitamine C sont, dans l'ordre, le cassis, la goyave, le kiwi, la papaye, la fraise, le litchi, l'orange, le citron, la mangue, la groseille, le citron vert, la clémentine, la mandarine, la groseille, la mangue, le pamplemousse, la mûre, le melon, la framboise, la myrtille et la nectarine.

LES PRODUITS LAITIERS

Les produits laitiers fournissent des quantités importantes de protéines facilement assimilables, des vitamines (A, D et B2 en particulier) et des minéraux (le calcium et le phosphore en particulier).
Le calcium est un composant essentiel des os, des dents et des structures cellulaires ; il est nécessaire au fonctionnement des nerfs et des muscles ; il joue un rôle majeur dans le système sanguin : il est très important lors de la grossesse car il empêche la perte excessive de sang qui a lieu pendant et après l'accouchement.
Fortement accrus, les besoins d'une femme enceinte atteignent 1 200 mg/jour (voir p. 28).

Le lait

Un quart de litre de lait apporte environ 300 mg de calcium. Les laits demi-écrémé et écrémé contiennent moins de lipides mais plus de calcium et de protéines que le lait entier. Dans la mesure du possible, évitez le lait de vache non pasteurisé, le lait de chèvre et de brebis. Les laits en poudre (écrémé, demi-écrémé et entier) sont bien sûr très concentrés en calcium (de 1 200 à 800 mg/100 g).

Les fromages

Entre 30 à 40 g de fromage contiennent environ 300 mg de calcium. La crème (crème légère et crème fraîche), les fromages blancs et les fromages frais contiennent, en proportion, dix fois moins de calcium que les fromages à pâte cuite ; une combinaison de deux sortes de fromages permet d'obtenir une proportion suffisante de calcium. Les fromages les plus riches en calcium sont, dans l'ordre, le parmesan, le beaufort, l'emmental, le comté, le cantal, le gouda, le saint-paulin, la fourme d'Ambert, le livarot, le fromage des Pyrénées, le reblochon, le vacherin, le roquefort, le saint-nectaire, le bleu d'Auvergne, la raclette, la feta, le pont-l'évêque, la tomme, le camembert, le brie, le coulommiers et le chèvre.

Le beurre

Pour la femme enceinte, le beurre représente une source importante de vitamine A et d'acides gras essentiels (voir p. 15).

Les yaourts

Un pot de yaourt de 125 g apporte environ 300 mg de calcium

ainsi que des vitamines A et D, des vitamines du groupe B ainsi que du phosphore.
Les yaourts facilitent la digestion et, s'ils sont consommés de façon régulière, permettent de lutter contre les diarrhées et la constipation, si fréquente chez la femme enceinte.

Le « lait » de soja enrichi en calcium

Le « lait » de soja, ou tonyu, peut être bu nature, sucré ou intégré dans des desserts.
À l'instar du « lait » de riz, ce « lait » de soja constitue une alternative intéressante pour toutes celles qui ne tolèrent pas le lait ou qui évitent les produits d'origine animale.
Vérifiez bien sûr l'emballage que le « lait » de soja a bien été enrichi en calcium ainsi qu'en vitamines B12 et D.

LE CALCIUM ET LA VITAMINE D

Pendant la grossesse, l'absorption du calcium alimentaire augmente naturellement, mais les prises excessives de thé, de café, de son de blé et de sel peuvent gêner cette absorption et provoquer une perte calcique.
Dans la mesure du possible, n'ajoutez pas de sel aux aliments, évitez le son non traité et limitez les boissons caféinées.
La vitamine D est appelée la vitamine du soleil parce qu'elle est synthétisée par notre organisme après une exposition à la lumière du jour.
Vitamine liposoluble, la vitamine D est nécessaire à l'absorption et aux effets du calcium (voir p. 19).
Le lait et les produits laitiers sont naturellement riches en calcium et en vitamine D ; la margarine et les céréales du petit-déjeuner ont le plus souvent été enrichies en calcium et en vitamine D.

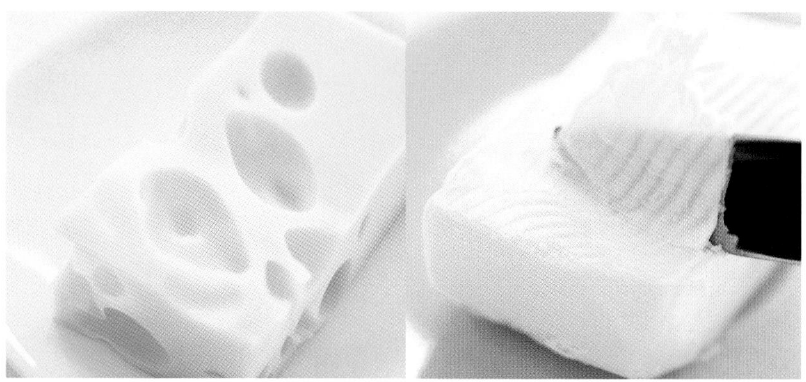

NO STRESS

VOUS, VOTRE CORPS ET VOTRE BÉBÉ

TROIS MOIS AVANT D'ÊTRE ENCEINTE

Quelques recommandations

La décision d'avoir un bébé a été prise. Il reste à adopter de bonnes résolutions et à énoncer quelques priorités : un mode de vie sain et une alimentation variée et équilibrée, entre autres.
Trois mois avant la conception, si cela est possible, commencez à être prudente, à prendre des précautions afin de donner à votre organisme les stocks vitaminiques essentiels, tel l'acide folique, tout en favorisant l'élimination des substances nocives telles que la caféine.
Pour avoir le plus de chances de mettre au monde un enfant en bonne santé, il est vivement recommandé d'éviter le tabac et l'alcool, de diminuer sa consommation en boissons caféinées comme le café et le thé. Toutes les études récentes le prouvent.

Attention aux carences en acide folique

Les risques de carences en acide folique (voir p. 18) sont à surveiller de très près, notamment si un terrain génétique particulier prédomine et si une grossesse précédente a été marquée par un défaut de fermeture du tube neural (Spina bifida)*. Dans ces cas, il est recommandé d'adopter une alimentation riche en acide folique et de prendre une supplémentation (0,4 mg/jour) trois mois avant et trois mois après la conception.

Supprimer le tabac

Outre les effets directs du tabagisme sur le développement du fœtus, il existe des effets indirects, provoqués par le déséquilibre nutritionnel d'une mère fumeuse.
Le tabagisme d'une femme enceinte est associé à plusieurs pathologies : les fausses couches, les naissances prématurées, le faible poids de naissance (environ 200 g de moins) et la mort subite du nourrisson.

Par ailleurs, la consommation de tabac diminue l'apport de certains nutriments ; il faut donc être très vigilante sur son alimentation et, le plus souvent, prendre une supplémentation en acide folique. Plusieurs de ces effets ne sont pas directement imputables à la nicotine : la fumée d'une cigarette contient des milliers de substances produites par la combustion à la fois du tabac, du papier et des additifs. Présent dans la fumée, le monoxyde de carbone se lie à l'hémoglobine (pigment respiratoire des globules rouges qui assure les échanges d'oxygène) pour constituer la carboxy-hémoglobine, qui ralentit le processus d'oxygénation du fœtus. Ce dernier est alors maintenu en état d'hypoxie chronique (diminution de la quantité d'oxygène que le sang distribue aux tissus). Des travaux récents suggèrent également qu'un enfant né d'une mère fumeuse risquera davantage de souffrir d'asthme, d'allergies ou d'atopie (dessèchement d'origine allergique). Certains produits dérivés de la cigarette se retrouvent chez le nourrisson, en particulier la nicotine et le cadmium. Leurs conséquences à long terme sont inconnues.
En observant le traitement de femmes enceintes qui s'arrêtaient de fumer avec un « patch » nicotinique, on a montré que les complications fœtales liées à la nicotine seule étaient moins nombreuses. Cependant, des études menées sur des animaux suggèrent que la nicotine serait à l'origine de pathologies qui touchent directement le développement du cerveau. Diminuer sa consommation de tabac puis cesser de fumer sont essentiels ; chaque femme choisira la méthode qui lui convient, l'idéal étant d'éviter le « patch », qui diffuse de la nicotine dans l'organisme, laquelle est transmise au fœtus.
Il est difficile de briser la dépendance tabagique ; aussi est-il conseillé de ne pas rester seule et de se faire aider par un médecin ou un psychologue afin d'affronter au mieux les effets du manque et la crainte d'une trop grande prise de poids.

Éviter l'alcool

L'alcool traverse très facilement la barrière placentaire, où il peut être tératogène* pour le fœtus, incapable de le métaboliser de manière adéquate. Même pris en quantité modérée, l'alcool favorise les naissances prématurées et les risques de faible poids de naissance. Les effets dépendent de la dose absorbée ; ils augmentent considérablement à partir de 14 cl par jour.
Le « syndrome d'alcoolisme fœtal » désigne un ensemble de malformations qui se manifestent soit ensemble, soit de façon

indépendante – on parle alors des « effets de l'alcool sur le fœtus ». Ce syndrome entraîne un retard de croissance, des difformités crâniofaciales et des altérations du système nerveux central : un retard de développement mental, des troubles du comportement et de l'apprentissage, et de nombreux autres déficits intellectuels.
À tous les stades de la grossesse, et pas seulement durant le premier trimestre, la consommation d'alcool entraîne des troubles de développement chroniques. Dans les pays industrialisés, 1 à 3 enfants sur 1 000 sont atteints, à la naissance, du syndrome d'alcoolisme fœtal. Cette estimation est minimale car il reste très difficile d'évaluer la fréquence d'une malformation congénitale peu visible à la naissance.
De plus, les femmes alcooliques et les très grandes consommatrices d'alcool souffrent le plus souvent de carences nutritionnelles dues à leurs habitudes alimentaires, des carences que l'alcool amplifie et qui portent sur la digestion, le stockage, l'absorption, l'utilisation et l'excrétion de nutriments.
Tout d'abord, l'alcool réduit la sécrétion des enzymes pancréatiques nécessaires à la digestion : cela provoque une digestion trop rapide des aliments. Ensuite, l'alcool inhibe l'absorption des lipides, donc des vitamines liposolubles absorbées en même temps que les lipides alimentaires – les vitamines A, E et D. Les carences en vitamines liposolubles sont donc courantes et provoquent d'autres carences, en calcium, en magnésium, en fer et en zinc, qui concernent à la fois la mère et son enfant.
Réduire sa consommation d'alcool est donc vivement conseillé.

Diminuer les apports en caféine

La caféine est un alcaloïde, une substance organique qui possède une action physiologique importante ; elle se trouve dans les feuilles, les graines ou les fruits de plus de soixante-trois espèces végétales et appartient à la famille de molécules appelées les méthylxanthines.
Elle est présente dans le café, le thé, le cacao, la cola, le maté...
La caféine constitue un stimulateur du système nerveux central et, à ce titre, provoque différents symptômes chez les personnes sensibles : des insomnies, des maux de tête, de la nervosité. Ses effets sont transitoires et, chez un adulte sain, la demi-vie de la caféine avoisine 3 à 4 heures ; cette demi-vie (c'est-à-dire la période pendant laquelle son taux dans le sang diminue de moitié) est raccourcie chez les fumeurs, car ces derniers métabolisent plus rapidement la caféine.
La prise de caféine a été, à tort,

associée à l'infertilité féminine et à la fausse couche. Aujourd'hui, de nombreuses études montrent que la consommation d'une quantité modérée de caféine n'a aucune incidence sur la fertilité, la grossesse et la santé du fœtus – les études sur la fécondité ont porté sur plus de 12 000 femmes, celles sur le risque de fausse couche sur plus de 6 000 femmes.
Pour celles qui allaitent, la consommation de caféine doit être modérée car, à l'instar de tous les aliments, elle est excrétée dans le lait maternel. Il est conseillé de ne pas dépasser au total 300 à 400 mg de caféine par jour : une tasse de 20 cl de thé contient en moyenne 40 mg de caféine, une tasse de café instantané 64 mg et une tasse de café filtre jusqu'à 150 mg.

LE PREMIER TRIMESTRE

De la 1ère à la 13e semaine de grossesse

Le début de la grossesse est marqué par les transformations les plus rapides, qui vont requérir des apports nutritionnels adaptés à chaque étape. Dès qu'une femme est enceinte, son corps, ses organes sont impliqués dans la croissance et la nutrition du bébé : le cœur, les poumons, les os, les vaisseaux sanguins, les seins, le système digestif, les reins, les ligaments, la peau et le système hormonal vont désormais vivre intensément tous ces changements. Au cours de la grossesse, la prise de poids moyenne est comprise entre 11 et 15 kg ; cela comprend l'augmentation de la taille du bébé, les transformations du corps et les réserves de la mère. L'utérus se dilate et sa masse augmente : il atteint la dimension d'une petite poire d'environ 60 g pour devenir bientôt plus gros qu'une pastèque, pesant jusqu'à 1 kg. De nouveaux vaisseaux sanguins et de nouvelles fibres musculaires se développent pour constituer le placenta, le lien vital entre le bébé et sa mère, qui sera à l'origine d'un nouveau compartiment

sanguin de 1,25 l ; pour réaliser cela, le corps de la femme fabrique plus de cellules sanguines. Les reins se développent également pour faire face à l'augmentation de l'excrétion des déchets provenant du métabolisme du bébé.
À la fin de la grossesse, l'organisme de la mère contiendra un volume excédent de liquide supérieur à 6 l. Ainsi, le cœur de la mère est amené à travailler davantage, pompant 7 l de sang/min au lieu des 5 l habituels.
Des transformations apparaissent au niveau du tractus gastro-intestinal (ensemble des organes constituant un appareil) : l'estomac évacue la nourriture plus lentement afin de favoriser une meilleure absorption et d'obtenir un rendement énergétique optimal pour tous les aliments consommés. Liés à ces premières transformations radicales et rapides, des troubles bénins marquent souvent la vie de la mère : de la fatigue, des nausées, des seins douloureux...

Le développement de votre bébé

Quatre semaines après la conception, l'œuf fécondé s'est implanté dans la muqueuse utérine. Il devient un embryon et sa croissance est très rapide. Une vie se met en place. Les organes internes sont à l'état d'ébauche, le cœur commence à battre. La circulation entre l'embryon et la mère est établie.
À la 4e semaine, la moelle épinière s'est formée, la circulation sanguine débute, l'oreille interne, l'œil et la langue apparaissent. Le système nerveux commence peu à peu à envoyer des messages qui permettront d'apercevoir, à la 7e semaine, les premiers mouvements du bébé. À la fin du 1er mois, l'embryon mesure 5 mm environ.
De la 5e à la 8e semaine, pendant le 2e mois, le cerveau se développe ; l'estomac, le foie et le pancréas sont présents ; puis viennent les reins, la rétine, le cristallin, le nerf optique, la thyroïde, les premiers muscles, les doigts, les orteils, le palais, les mains, les pieds. À la fin du 2e mois, l'embryon mesure 3 cm et pèse 3 g.
De la 9e à la 13e semaine, pendant le 3e mois, la tête s'arrondit et le visage devient humain, se dote de lèvres dessinées, ses paupières recouvrent l'ensemble de l'œil ; les voies génitales sont différenciées ; les premiers os apparaissent ; les narines s'ouvrent ; les glandes sexuelles sont actives ; les articulations fonctionnent parfaitement ; le pigment de la peau est élaboré ; le bébé peut ouvrir la bouche... À la fin du 3e mois, le fœtus mesure 12 cm et pèse 60 g.

Votre corps change

En premier lieu, la femme enceinte ressent une grande fatigue. C'est le résultat parfaitement normal des changements qui ont lieu dans son corps.

À la 5e semaine, les seins se sont amplement développés et sont tendus.
À partir de la 7e semaine, le taux d'hormones (progestérone et œstrogènes) augmente rapidement : cela provoque souvent un sentiment d'écœurement à l'égard de certaines odeurs et de certains aliments, des nausées, et parfois des vomissements.
Durant le 3e mois, les reins fonctionnent plus qu'avant ; le rythme du cœur s'est accéléré. La fatigue et les nausées commencent à s'estomper et à disparaître au milieu ou à la fin du 3e mois.

Conseils d'alimentation

Au début de la grossesse, il est très important de poursuivre la supplémentation en acide folique – essentiel pour la formation de la moelle épinière et du système nerveux – qui a été commencée quelques mois avant la conception.
Consommez régulièrement des aliments riches en folates (voir p. 16) tels que certains légumes verts (brocoli, salades, épinard, chou de Bruxelles, haricot vert...).
Évitez l'alcool, le tabac et tous les « aliments à risque » (voir pp. 60-62). En effet, votre bébé est particulièrement sensible aux germes pathogènes et aux toxines.
Équilibrez vos repas en prenant des aliments riches en glucides complexes, ou sucres lents, comme le pain, les pâtes et les céréales complètes du petit-déjeuner, afin de combattre la fatigue et d'assurer un apport énergétique convenable.
C'est également le moment de manger de façon très régulière des poissons gras, car ils sont riches en acides gras essentiels (voir p. 37) : ces derniers entrent en effet dans la formation du cerveau du bébé.
Lors des nausées du matin, prenez un yaourt ou du fromage blanc. Ils représentent des sources majeures en calcium et en vitamine D, nécessaires à la construction du squelette du fœtus.
À partir du 2e mois, des apports supplémentaires en fer sont nécessaires pour assurer une bonne constitution du placenta. Mangez de façon diversifiée et équilibrée, et pensez aux aliments riches en fer.

LES BESOINS DE LA MÈRE ET DU BÉBÉ

Les muscles, le sang et les autres tissus du fœtus contiennent du fer, des protéines, des minéraux, des vitamines et tous nutriments essentiels qui, apportés par la circulation sanguine, proviennent directement de l'alimentation de la mère. Le fer est indispensable à la constitution de l'hémoglobine, ce pigment respiratoire présent dans les globules rouges qui permet le transport de l'oxygène dans toutes les parties du corps. À cette étape de la grossesse, la mère produit un tiers de sang supplémentaire, car le bébé doit créer son propre système sanguin. D'une manière continue, le placenta transfert les nutriments depuis l'organisme de la mère vers le fœtus. Si la prise alimentaire est trop pauvre, notamment en fer, le bébé ira puiser ce dont il a besoin dans les réserves de la mère – ce qui provoquera des carences. Il est donc vital de consommer des aliments sains, qui proposent un équilibre nutritionnel.

LE DEUXIÈME TRIMESTRE

De la 14e à la 26e semaine de grossesse

Désormais, la grossesse devient visible, le ventre s'arrondit. Le placenta jouant un rôle de plus en plus important, le taux d'hormones tend à se stabiliser : la femme enceinte se sent moins fatiguée, moins nauséeuse, moins sujette aux malaises. Le deuxième trimestre est alors, en général, le plus facile à vivre. Mais des problèmes de rétention d'eau, de mal de dos et de brûlures d'estomac peuvent gêner la vie quotidienne de la future maman.

Le développement de votre bébé

Au cours du 4e mois, la croissance du fœtus reste très rapide, les organes tendent à fonctionner ensemble, et les proportions du corps se mettent en place – les jambes sont désormais plus longues que les bras. La mère commence à ressentir les mouvements de son bébé. Dès la 16e semaine, la rétine est sensible à la lumière, même si les paupières sont closes ; un duvet recouvre le corps. À la fin du 4e mois, le fœtus mesure 19 cm et pèse 200 g.

Pendant le 5e mois, le bébé a le même nombre de cellules nerveuses que sa mère ; il possède des empreintes digitales ; le pancréas fabrique de l'insuline ; ses cheveux et ses ongles se forment ; il suce son pouce ; à partir de la 22e semaine, des glandes sébacées produisent le vernix caseosa, qui recouvre la peau du fœtus afin de le protéger du liquide amniotique dans lequel il est immergé. Les poumons et le système digestif sont fonctionnels mais encore immatures. À la fin du 5e mois, le fœtus mesure 26 cm et pèse 500 g.

Pendant le 6e mois, les futures dents de lait sont en sécrétion ; le bébé

commence à réagir au toucher et au son ; le cerveau continue de se développer ; les nerfs se forment ; le bébé commence à uriner. Il bouge de plus en plus et ingurgite parfois de petites quantités de liquide amniotique, ce qui provoque des hoquets. À la fin du 6e mois, le fœtus mesure 33 cm et pèse près de 900 g.

Votre corps change

La transformation la plus manifeste concerne tout d'abord la silhouette : le ventre et les seins continuent de grossir. Au cours de cette période, du fait de la croissance rapide du fœtus, de l'augmentation du volume sanguin, du liquide amniotique et du placenta et de la formation d'un peu de graisse, le gain de poids moyen de la femme est de 500 g par semaine. L'appétit revient peu à peu, et les désagréments du matin s'atténuent jusqu'à disparaître bientôt.

Au 4e mois, l'hypersensibilité du goût et de l'odorat, qui est apparue dès le début de la grossesse, se poursuit ; elle peut modifier les choix alimentaires, qui seront donc marqués par des envies et des dégoûts. En général, cela n'a pas d'effet néfaste, sauf si la femme enceinte élimine des groupes complets d'aliments ou si elle en consomme d'autres en surabondance. Cela aide souvent à éviter une nourriture amère, trop forte, voire nocive – par exemple trop chargée en caféine ou bien en alcool.

Attention à l'ajout de sel : même si la femme enceinte n'a nul besoin d'éliminer le sel de ses repas, elle doit en consommer sans excès, surtout si elle révèle une tension artérielle élevée ou si elle est sujette à la rétention d'eau.

À la 20e semaine, la moitié du chemin vers la naissance est faite.

À partir du 5e mois et du 6e mois, le fœtus, qui ne cesse de croître, tend à comprimer l'estomac de la mère, ce qui peut être à l'origine de brûlures et d'aigreurs. L'appétit est revenu, la faim est parfois pressante, et le rassasiement presque immédiat.

Conseils d'alimentation

La croissance de votre bébé étant rapide, mangez de manière régulière afin de fournir un apport constant en énergie et en nutriments. Une alimentation riche en acide folique reste nécessaire. De même, soyez vigilante sur vos apports en acides gras essentiels de la famille oméga-3, indispensables pour assurer le bon développement du cerveau et du système nerveux : vous les trouverez en particulier dans les poissons gras, les huiles de colza, de noix et de soja, et dans les oléagineux (par exemple les noisettes).

Mangez des fruits et des légumes riches en bêtacarotène : ils vous aideront à protéger le développement cellulaire du fœtus.

Faites attention aux apports protéiques : consommez tous

les jours au moins deux portions d'aliments riches en protéines (lait, poisson, œuf, céréales, légumineuses...). Ces dernières fournissent en effet les acides aminés essentiels à la croissance du bébé. En raison de l'augmentation du volume sanguin, de la formation du liquide amniotique et d'une élimination des déchets plus importante, buvez davantage d'eau : au moins 6 à 8 verres supplémentaires par jour, que ce soit de l'eau ou des jus de fruits dilués. Évitez les boissons caféinées. L'estomac étant un peu comprimé, faites six petits repas plutôt que des repas importants, plus difficiles à digérer. Malgré les risques de fringale, essayez de résister à la tentation. Mangez de la salade, du poisson et des pâtes ainsi que tous les aliments à grande densité nutritionnelle comme les œufs, les légumineuses et les oléagineux, sans oublier ceux qui contiennent davantage de glucides complexes, ou sucres lents, tels que le pain, les céréales ou les bananes. Cela permet de constituer de bonnes réserves énergétiques.

LE DERNIER TRIMESTRE

De la 27e à la 39e semaine de grossesse

Les sensations de la femme enceinte sont de plus en plus grandes à l'égard de son bébé : elle le sent bien bouger, et les mouvements sont parfois saillants et visibles sur son ventre... Le dernier trimestre constitue l'une des périodes les plus délicates, souvent perturbée par des aigreurs, de la constipation et des malaises. Le corps de la mère, comme celui du bébé, se prépare au travail à venir et à la naissance imminente, qui se produira autour de la 39e et dernière semaine.

Le développement de votre bébé

À partir du 7e mois, les caractéristiques physiologiques du fœtus sont tout à fait développées, et son corps, parfaitement formé et bien proportionné, tend à s'arrondir ; ses yeux s'ouvrent et se ferment ; ses cils ont poussé, ses sourcils sont formés ; il a des cheveux ; il a le sens du goût ; ses

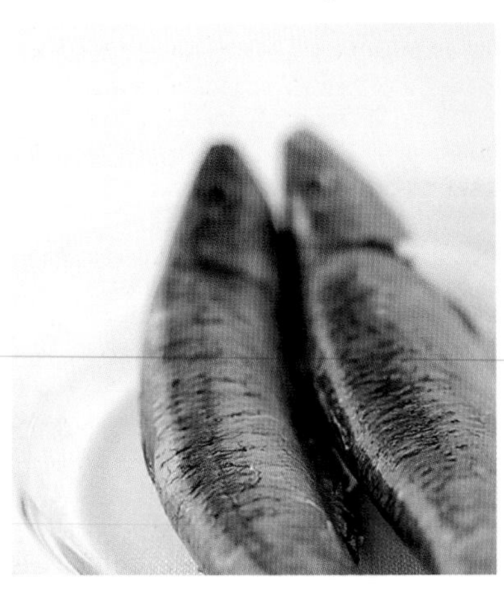

poumons seront opérationnels dès la première inspiration après la naissance. À la fin du 7e mois, le fœtus mesure 37 cm et pèse 1,5 kg. Autour du 8e mois, le bébé réagit à ce qui se produit dans son environnement, en particulier aux sons ; sa peau est rose et encore fripée ; ses ongles ont poussé ; il avale une quantité importante de liquide amniotique et urine beaucoup. Il se prépare à l'issue finale et, à partir de la fin du 7e mois ou au début du 8e mois, s'est retourné : en général, il a la tête en bas afin de se présenter, à la naissance, par le haut du crâne. S'il y a « présentation du siège », cela signifie que le bébé est en position verticale mais en sens inverse : c'est donc les fesses qu'il présentera en premier. L'accouchement sera parfois plus difficile ou nécessitera une césarienne – de même pour la « présentation transverse », où le bébé est en position transversale. Mais il a encore le temps de se retourner: certains s'y décident quelques instants avant l'accouchement...
À la fin du 8e mois, le fœtus mesure 43 cm et pèse 2,2 kg.
Au 9e mois, le vernix caseosa et le duvet ont disparu ; le visage est lisse et les yeux sont devenus bleus ; le bébé gagne environ 14 g de masse grasse par jour afin d'affronter la baisse de la température qu'il connaîtra à la naissance.
À la fin du 9e mois, il mesure environ 50 cm et pèse autour de 3,3 kg.

Votre corps change

La masse corporelle continue d'augmenter peu à peu, à mesure que le bébé atteint sa taille définitive. Votre abdomen est proéminent, ce qui est souvent associé à des désordres d'ordre digestif. Une fatigue est liée au surpoids, et se déplacer devient de plus en plus difficile. L'augmentation du volume sanguin peut entraîner une carence en fer.

Conseils d'alimentation

Les brûlures d'estomac sont le problème majeur de ce dernier trimestre ; elles sont dues aux hormones de la grossesse, qui provoquent un relâchement du tractus gastro-intestinal, et à la pression exercée par le fœtus.
À trois repas copieux, préférez de petits repas répartis tout au long de la journée ; cela permet de diminuer les aigreurs. Consommez des aliments pauvres en lipides tels que les céréales, les fruits, les légumes et les produits laitiers allégés, plus faciles à digérer que les aliments gras. Si vous évitez les boissons caféinées, cela vous aidera davantage encore.
Durant ce troisième trimestre, privilégiez la nourriture riche en fer, à la fois pour vous et pour votre bébé, afin de finir votre grossesse dans les meilleures conditions et de préparer l'allaitement.
Si vous n'avez plus envie de cuisiner, préparez-vous des collations à forte densité nutritionnelle : bananes,

oléagineux, petits sandwichs et autres douceurs. Confectionnez à l'avance des plats et faites-les congeler ; vous aurez ainsi à votre disposition des menus prêts à réchauffer qui vous garantiront une qualité nutritionnelle et une sécurité face aux risques de contamination microbienne.
Des problèmes d'insomnie sont parfois liés à votre surpoids. Si cela est le cas, environ 1 h avant d'aller vous coucher, consommez des aliments riches en protéines, par exemple des boissons lactées ou des céréales mélangées dans du lait : ils vous aideront à trouver le sommeil.

LES ALIMENTS DE L'ACCOUCHEMENT

Lors du travail, avant l'accouchement, les aliments riches en sucres lents peuvent vous aider à prévenir la fatigue et la déshydratation. La vitamine K, qui se trouve dans les brocolis, les épinards, les haricots, le cresson, le chou, l'avocat et le chou-fleur, est nécessaire pour lutter contre les risques d'hémorragie. Un oligo-élément comme le zinc favorise la production d'hormones après la naissance.
Avant l'accouchement, si vous le pouvez, mangez des aliments riches en glucides complexes afin de vous constituer des réserves énergétiques : des légumineuses, des pâtes, des pommes de terre, du riz, des céréales.
Ayez des collations prêtes. Faites de petits repas, frugaux, fréquents et riches en glucides : des fruits, des barres de céréales, du pain...

LES PRÉCAUTIONS À PRENDRE

Quelques règles d'hygiène concernant les aliments et leur préparation sont à respecter pour éviter certaines maladies, dangereuses pour le développement du fœtus : la listériose, la salmonellose et la toxoplasmose.
Prescrite par le médecin, une prise de sang en début de grossesse permet de déceler si vous êtes ou non immunisée contre la toxoplasmose. Si vous ne l'êtes pas, soyez prudente, évitez tout risque de contamination.

La listériose

La listériose, ou Listeria monocytogenes, est une bactérie présente dans l'environnement: la terre, les végétaux, les eaux souillées... Elle constitue avant tout une zoonose, c'est-à-dire une maladie infectieuse des animaux, qui activent la dissémination de la bactérie, en l'excrétant dans l'environnement, et la transmettent à l'homme. Elle est dangereuse pour les femmes enceintes, les nouveau-nés et les personnes immuno-déprimées (aux défenses immunitaires amoindries).

Les aliments concernés

Du fait du mode de dissémination de la bactérie, la variété d'aliments susceptibles d'être contaminés est grande : le lait cru, non pasteurisé, les fromages au lait cru, les crudités, les graines crues germées comme les graines de soja, les poissons ou les fruits de mer, la volaille, la viande, la charcuterie. Capable de proliférer à température ambiante et à 37 °C, cette bactérie peut encore se multiplier à 4 °C, donc dans les réfrigérateurs ; sa propagation est favorisée par le développement de la chaîne du froid – depuis les entrepôts frigorifiques industriels jusqu'au réfrigérateur individuel.

Les manifestations

La période d'incubation peut être longue et va de quelques jours à plus d'un mois. Des symptômes gastro-intestinaux – une diarrhée et des vomissements – apparaissent parfois. La bactérie manifeste une prédilection pour le système nerveux central et pour le placenta ; en général, elle provoque des septicémies ou des atteintes cérébrales : des méningites et des encéphalites, qui sont mortelles dans 20 à 30 % des cas, sont souvent à l'origine de séquelles neurologiques.
Chez la femme enceinte, la listériose évolue d'une manière insidieuse sous la forme d'un syndrome fébrile pseudo-grippal : il se manifeste par une fièvre isolée ou associée à une sorte de « grippe », accompagnée de douleurs musculaires et articulaires, de maux de tête et de mal de dos. Apparaissant avant tout au dernier trimestre de la grossesse, l'infection provoque le plus souvent une septicémie qui se traduit par une

fausse couche, un accouchement prématuré, une forme septicémique dans les quatre jours suivant la naissance - la mortalité atteint alors 75 % des nouveau-nés - ou une forme méningée plus tardive, d'un meilleur pronostic - entre une et quatre semaines de vie. Si elle n'est pas traitée, la listériose est très dangereuse et entraîne le décès du bébé dans plus de 20 % des cas. Le traitement antibiotique est le traitement de base de la listériose.

La prévention

Dans la mesure du possible, évitez les aliments consommés sans cuisson ; évitez aussi certaines charcuteries cuites. Pour les fromages au lait cru, ôtez la croûte. Lavez bien les légumes crus et les herbes aromatiques. De manière générale, cuisez les aliments d'origine animale ; lavez soigneusement ceux qui ont été conservés au réfrigérateur ; séparez, dans le réfrigérateur, les aliments crus des aliments cuits ou prêts à consommer. Lavez-vous régulièrement les mains ; nettoyez régulièrement votre réfrigérateur ; nettoyez tous les ustensiles qui ont été en contact avec des aliments crus.

La salmonellose

La bactérie Staphylococcus aureus occupe en France le deuxième rang des bactéries responsables d'intoxications alimentaires ; les « salmonelles » sont le nom générique donné aux bactéries qui produisent des toxines agissant sur le système neurovégétatif et le système lymphoïde de l'intestin. La salmonellose représente un problème important dans les pays industrialisés. En général, l'infection guérit seule, mais elle peut entraîner des complications graves chez les femmes enceintes, les enfants, les personnes immuno-déprimées et les personnes âgées.

Les aliments concernés

La bactérie se développe notamment dans la volaille et dans les œufs, et surtout dans les aliments qui n'ont pas été assez cuits.

Les manifestations

Ce sont les toxines produites par des souches se multipliant dans les aliments qui déclenchent les symptômes : des vomissements violents et répétés, souvent accompagnés de diarrhées. On en guérit généralement en un à deux jours, et sans séquelles.

La prévention

Faites attention à la bonne cuisson de tous les aliments.

La toxoplasmose

La toxoplasmose est causée par les toxoplasmes, des parasites qui vivent dans les cellules du système lymphatique et de divers organes. Cette maladie parasitaire bénigne touche plus de 50 % des Français, sans produire de conséquence notable. Les deux seuls cas où le parasite risque d'être dangereux concernent les immuno-déprimés (en particulier les personnes atteintes du sida) et les femmes enceintes. La toxoplasmose est donc systématiquement recherchée chez ces dernières, si possible avant la grossesse et toujours en début de grossesse. L'enjeu est important: une toxoplasmose touchant le fœtus peut être responsable de lésions graves aboutissant parfois au décès de l'enfant ou à une arriération mentale irrévocable (on parle alors de toxoplasmose congénitale). Dépistée et traitée, elle ne laisse aucune séquelle. Le risque pour une femme est donc d'être contaminée pendant sa grossesse. À l'opposé, une toxoplasmose ancienne, contractée avant la grossesse, ne présentera aucun danger pour le fœtus : au contraire, elle sera un gage d'immunité, donc de sécurité. Plus une toxoplasmose survient tôt dans la grossesse, moins le risque de toxoplasmose congénitale sera important, mais, en cas d'atteinte, plus les lésions seront graves. À l'inverse, plus une toxoplasmose survient tardivement dans la grossesse, plus le risque d'atteinte du bébé sera important, mais moins les lésions seront graves. Aujourd'hui, la prise en charge et les traitements évitent tout risque de toxoplasmose congénitale. À condition que la contamination soit dépistée à temps et que la femme enceinte soit suivie et effectue les bilans sanguins qui ont été demandés par son médecin.

Les aliments concernés

Le toxoplasme se rencontre dans la viande ou dans la terre souillée par des déjections de chat. La toxoplasmose s'attrape par l'ingestion d'aliments contaminés, d'eau souillée et de viandes mal cuites.

La prévention

Avant la grossesse ou au début de la grossesse, votre médecin vous prescrit une sérologie de toxoplasmose.
Si la prise de sang est positive et indique des « IgG » positifs (anticorps), il y a de fortes chances pour qu'il s'agisse d'une toxoplasmose ancienne et que la mère possède un nombre d'anticorps suffisant pour assurer la protection du fœtus. Le médecin demandera alors une seconde prise de sang deux semaines plus tard pour s'assurer que le taux d'anticorps reste stable, que le système de défense neutralise le toxoplasme. S'il est stable, inutile de faire d'autres contrôles : le bébé est protégé.
Si la prise de sang est négative, cela signifie que la femme enceinte n'a pas été contaminée.
Elle subira donc une prise de sang tous les mois afin de surveiller l'éventuelle survenue d'une toxoplasmose en cours de grossesse ; elle veillera à ne pas être contaminée.
Si la prise de sang est positive et indique des « IgM » positifs ou si une prise de sang à l'origine négative devient positive en cours de grossesse, il y a un risque d'infestation récente, donc de toxoplasmose congénitale. Cela justifie un suivi échographique ainsi qu'un traitement si la contamination se confirme.
Bien surveillés, les risques de toxoplasmose congénitale sont presque nuls.
Continuez d'effectuer, toutes les quatre à huit semaines, la prise de sang demandée par votre médecin. Si l'infection se produit, cet examen la détectera ; le traitement qui protégera votre bébé pourra être entrepris sans délai.
Pour éviter d'être contaminée, prenez quelques précautions. Lavez-vous les mains après avoir manipulé de la viande ou de la terre. Mangez de la viande très cuite, évitez la viande crue ou saignante (beefsteak, tartare, fondue, brochettes, méchoui, côtelettes...). Lavez à grande eau tous les aliments maculés de terre, surtout si vous les consommez crus. Évitez les contacts avec les animaux, en particulier les chats. Et si vous avez un chat, ne vous chargez pas du nettoyage : faites laver tous les jours par une autre personne, avec de l'eau bouillante ou un désinfectant, les récipients et boîtes qui ont contenu ses excréments.

LE CYTOMEGALOVIRUS

Lors du bilan sanguin à effectuer au début de votre grossesse, on vous proposera de rechercher la présence d'un virus : le cytomegalovirus, ou CMV. Ce dernier ne présente aucun danger pour la mère mais peut s'avérer, dans des cas exceptionnels, dangereux pour le fœtus : des complications tardives, par exemple des troubles de l'audition, apparaissent parfois. Si vous n'êtes pas immunisée, et cela est le cas pour 50 % des femmes

enceintes, prenez quelques précautions. Le CMV s'attrape par la salive, les larmes et les urines. Si vous avez déjà un bébé, ou si vous travaillez en crèche, lavez-vous les mains après l'avoir changé ; ne prenez pas de bain avec lui ; ne sucez ni sa tétine ni sa cuiller ; ne terminez pas son petit pot ; ne l'embrassez pas sur la bouche. La contamination par les jeunes enfants est en effet la plus courante.

ATTÉNUER LES DÉSAGRÉMENTS

En règle générale, la grossesse s'accompagne de désagréments d'ordre mineur, dont la plupart peuvent être soulagés, et souvent supprimés, par quelques modifications du comportement alimentaire. N'hésitez pas à consulter votre médecin si une gêne ou un trouble persiste.

L'anémie

Une femme enceinte développe très souvent une anémie*, car le fœtus utilise le fer de sa mère pour fabriquer ses propres globules rouges. Rien à craindre donc en ce qui le concerne. L'anémie survient parfois à la suite des pertes de sang qui ont lieu pendant et après l'accouchement, mais, en principe, elles sont aisément compensées par une supplémentation en fer. Une anémie se manifeste notamment par une pâleur et de la fatigue. Tandis que certaines anémies sont directement associées à une carence en fer, d'autres sont liées à des carences en acide folique ou en vitamine B12 (voir pp. 16-17). Selon les résultats de votre bilan sanguin, le médecin vous prescrira le traitement qui est approprié.

Conseils d'alimentation

Durant votre grossesse et pendant l'allaitement, augmentez votre consommation en fer et en vitamine C. En effet, la vitamine C aide notamment à l'absorption du fer alimentaire, à l'opposé des tanins – présents dans le thé et le café – et des phytates (fibres alimentaires), qui la réduisent. Même si une supplémentation en fer vous est déjà prescrite, privilégiez toujours les aliments riches en fer : ce sont eux qui constituent les formes de fer les mieux absorbées et les plus efficaces. Consommez, pour le fer héminique, de la viande rouge et, pour le fer minéral, des céréales (le musli du petit-déjeuner, le germe de blé, en huile ou en préparation, les flocons d'avoine, le blé complet, le sarrasin), des fruits (les abricots, les dattes), des oléagineux (les amandes, les noisettes), des légumineuses (les lentilles, les haricots blancs) et de la levure alimentaire.

La constipation

Liée à des raisons physiologiques et hormonales, parfois associée à une supplémentation en fer, elle est fréquente lors de la grossesse.

Conseils d'alimentation

Équilibrez vos repas afin qu'ils contiennent suffisamment de fibres, présentes dans les parois des cellules végétales : privilégiez les céréales (musli du petit-déjeuner, germe de blé, flocons d'avoine, blé complet, pain complet, pain de seigle et de froment), les fruits (pruneau, abricot sec) et les légumes (artichaut, salsifis), les oléagineux (amandes, pistaches, noisettes) et les légumineuses (pois chiches, lentilles, pois cassés). Appartenant à la famille des glucides, les fibres améliorent la motricité intestinale et absorbent, comme une éponge, le liquide intestinal. Limitez votre consommation de féculents (riz, pâtes et pommes de terre). Buvez beaucoup d'eau : 1,5 l d'eau minérale par jour, des citronnades sans sucre, des jus de fruits dilués (jus de prune ou de pruneau), des infusions, des boissons lactées ou à base de yaourt ; évitez les boissons caféinées comme le thé, le café et les sodas. Associez cette approche nutritionnelle à la pratique régulière d'une activité physique : la marche, la nage, le stretching... Évitez toute automédication : demandez conseil à votre pharmacien et, surtout, à votre médecin. Vous pouvez éventuellement utiliser des suppositoires à la glycérine ou des lavements, des laxatifs de lest ou des laxatifs osmotiques. Attention: les autres types de laxatifs sont déconseillés, en particulier les stimulants (car ils sont irritants pour l'intestin) et les lubrifiants (car ils entraînent une mauvaise absorption des vitamines).

Le diabète gravidique

Au 3e mois de grossesse, dès la 12e semaine, apparaît une réduction de la sensibilité à l'insuline ; elle s'accentue peu à peu pour atteindre, au 9e mois, 50 % à 70 % de la sensibilité normale. Cette réduction, favorisée par des modifications hormonales (augmentation du cortisol, de la prolactine et de la progestérone), entraîne une augmentation des niveaux postprandiaux de la glycémie (après un repas), des lipoprotéines de très faible densité et des acides gras libres. En parallèle, la néoglucogenèse (production de glucose à partir de substances non glucidiques)

s'intensifie et s'accroît d'un tiers, contribuant ainsi à assurer 75 % de la production de glucose. En cas de jeûne, ce seront les réserves lipidiques, plus que les protéines, qui seront sollicitées : le métabolisme protéique sera protégé.
Cette évolution des métabolismes de l'insuline et du glucose provoque parfois un diabète gravidique*, en particulier chez les femmes déjà fortes ou obèses et chez celles qui, en raison d'une susceptibilité génétique, sont prédisposées à un diabète non insulino-dépendant.

Conseils d'alimentation

Si votre taux de glucose est élevé, vous serez amenée à pratiquer plusieurs fois par jour des tests d'urine, à être suivie par votre médecin et à modifier votre alimentation : diminuez votre consommation de produits sucrés tels que les sodas, la confiture, le miel, les gâteaux et les confiseries; augmentez celle des aliments riches en glucides complexes, qui se digèrent plus lentement, afin de maintenir un indice glycémique faible (qui s'inscrit dans la durée) et un taux de glucose bas (qui, lui, est immédiat) : maïs, blé soufflé ou complet, sarrasin, seigle, son, pain complet ou riz complet.
Mangez également davantage de fruits et de légumes.

Les brûlures d'estomac

Les brûlures d'estomac se rencontrent le plus souvent pendant le dernier trimestre. Prenant de plus en plus de place, le bébé comprime davantage l'estomac, ce qui entraîne des remontées acides au niveau de l'œsophage. Pour soulager l'acidité, évitez de vous allonger juste après le repas, surélevez la tête de lit, ne vous penchez pas en avant.
Évitez toute automédication: demandez conseil à votre pharmacien et, surtout, à votre médecin.

Conseils d'alimentation

Fractionnez vos repas : six petits repas sont préférables à trois repas copieux ; en diminuant la pression dans l'estomac, ils permettent de lutter efficacement contre les

aigreurs. Essayez de repérer quels sont les aliments et les boissons qui provoquent ces désagréments.
En règle générale, évitez la nourriture riche en lipides, les plats épicés et très acides, comme certaines pâtisseries et certains jus de fruits (notamment au citron). Préférez au thé, au café et aux sodas du lait et de l'eau pétillante, car elle est alcaline. Mangez des aliments riches en amidon (en sucres lents) ainsi que des fruits et des légumes non acides. Si ces recommandations nutritionnelles ne suffisent pas, consultez votre médecin.

Les faiblesses et les nausées

Une fatigue et des nausées, voire des vomissements sont courants lors des deux premiers mois de la grossesse ; en général, ils disparaissent à la fin du premier trimestre. C'est le matin que ces troubles sont le plus fréquents.

Conseils d'alimentation

S'il n'existe aucune solution miracle pour annuler les troubles et les nausées du matin, certains changements alimentaires vous aideront toutefois à vous sentir mieux. Éliminez les repas riches en graisses et les plats en sauce; mangez peu et souvent.
D'une manière générale, afin de prévenir les nausées, évitez les aliments dont l'odeur et la vue vous dérangent ; l'approche sensorielle est essentielle pour que l'appétit et l'envie de manger restent inaltérés. Il appartient à chacune de choisir la nourriture qui lui permettra de retrouver son équilibre : soyez à l'écoute de vos sens et de votre corps, adaptez vos repas aux besoins de votre organisme et cuisinez uniquement si cela vous fait plaisir.
Si vous vous sentez mal dès le réveil, prenez un petit-déjeuner complet avec une boisson, un laitage et du pain ; si possible, prenez-le avant de vous lever, assise dans votre lit ; ne vous allongez pas après avoir mangé. Supprimez l'alcool et le tabac.
Si vous êtes sujette aux vomissements, n'oubliez pas de boire,

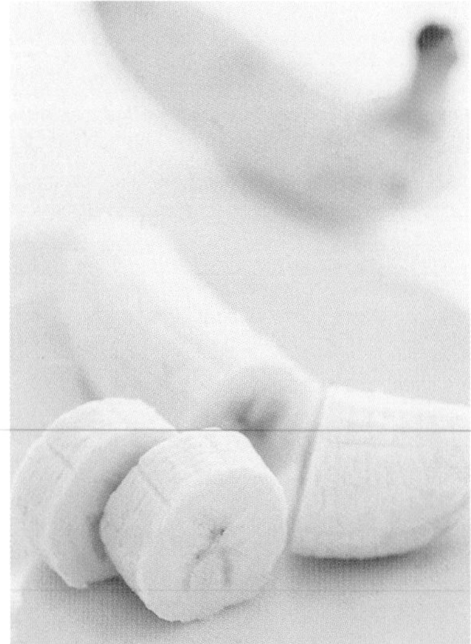

en petites quantités mais souvent, afin de prévenir la déshydratation. Mangez des fruits et des yaourts. Par ailleurs, certaines études ont montré que la consommation d'aliments riches en zinc (par exemple des oléagineux) ou en vitamine B6 (par exemple les bananes) peut être bénéfique pour lutter contre les nausées matinales; le gingembre est également recommandé, mais en faible quantité.

Les problèmes de poids

La prise de poids moyenne d'une femme enceinte est comprise entre 11 et 15 kg. Elle varie en fonction du poids initial avant la grossesse, du métabolisme de chacune et du degré d'activité et d'exercice pratiqués. Surveillez votre poids, dans un sens comme dans l'autre. Il s'agit non pas de manger pour deux, mais deux fois mieux. Il s'agit également de prendre assez de poids pour assurer à votre bébé, pendant la grossesse et après la naissance, tous les nutriments dont il a besoin. Votre médecin est là pour vous conseiller ; il vous pèsera également tous les mois, à chaque visite prénatale.

Le poids avant la grossesse

L'indice de masse corporel (IMC) est un moyen couramment utilisé pour évaluer le poids corporel d'un adulte.
Il s'applique à la plupart des sujets âgés de 20 à 65 ans, mais il ne concerne pas les personnes très musclées, les athlètes, les femmes enceintes et les femmes qui allaitent.
L'IMC se calcule en divisant le poids (en kg) par la taille2 (en m) : poids / taille2.
Exemple pour une femme de 55 kg mesurant 1,60 m : 55 / 1,602 = IMC de 21,48 (normal).
Il est utile de connaître son poids initial afin de surveiller sa prise pondérale tout au long de sa grossesse : utilisez une balance à poids ou un pèse-personne électronique gradué par 100 g, remis à zéro avant chaque mesure et calibré régulièrement.

L'INDICE DE MASSE CORPOREL

→ IMC inférieur à 20

Le poids corporel est insuffisant et, s'il est dû à des régimes amaigrissants renouvelés et à des restrictions alimentaires, il constitue un risque pour la santé. En revanche, il ne présente aucun risque s'il reflète simplement une prédisposition héréditaire.

→ IMC compris entre 20 et 25

Il est le « poids-santé » pour la plupart des personnes.

→ IMC compris entre 25 et 27

Il s'agit d'un surpoids qui peut entraîner des problèmes de santé.

→ IMC supérieur à 27

Signe d'obésité, il est associé à une hausse marquée de la morbidité et de la mortalité.

Les troubles du comportement alimentaire

Nombreuses sont les femmes qui adoptent de mauvaises habitudes alimentaires parce qu'elles sont insatisfaites de leur apparence corporelle et de leur poids.
En 1994-1995, 54 % des femmes entre 20 et 44 ans qui souhaitaient maigrir affichaient pourtant un poids normal. Bien que cette proportion tende à diminuer avec l'âge, ces résultats font nettement ressortir un malaise, qui semble découler de pressions culturelles et sociales exercées sur les femmes afin qu'elles se conforment à un idéal de beauté totalement inaccessible.

Posséder une mauvaise image corporelle incite à adopter un comportement alimentaire malsain visant à réduire ou à maintenir un poids trop bas ; à ce comportement appartiennent les régimes amaigrissants à répétition, le jeûne, les compulsions alimentaires et des formes plus préoccupantes de troubles de l'alimentation : la boulimie et l'anorexie mentale.
On estime que 10 à 20 % des femmes souffrent de troubles graves. Même si les données sont rares, on pense que la prévalence de ces troubles est en hausse ; et tandis qu'au moins 1 à 2 % des adolescentes souffrent d'anorexie mentale, 2 à 3 % au moins souffrent de boulimie.
Parmi les risques encourus par les jeunes filles et les femmes figurent notamment les déficiences nutritionnelles, l'aménorrhée*, l'infertilité, les déséquilibres électrolytiques (déséquilibres entre des minéraux dans le sang, les urines...), la déshydratation, la constipation, les ballonnements et diverses perturbations d'ordre psychologique.

Conseils d'alimentation

L'essentiel est d'adopter une attitude saine et réaliste à l'égard de son poids, d'accepter son « poids-santé », d'envisager une alimentation et un mode de vie équilibrés, de pratiquer régulièrement une activité physique, et non pas de vouloir ressembler

aux mannequins vus dans les magazines, un objectif parfaitement irréaliste et très dangereux.
Si une femme désirant être enceinte ou entamant une grossesse témoigne d'un IMC supérieur à 27 ou inférieur à 20, le mieux est d'en parler d'abord avec son médecin ; il pourra également recommander une consultation dans un service de nutrition.

Les adolescentes et leur grossesse

En cent ans, l'âge de la puberté a diminué de quatre années, passant de 17 à 13 ans.
Si certaines adolescentes désirent être enceintes, tel n'est pas le cas de la plupart d'entre elles. En 1994, les grossesses des adolescentes représentaient en France 2 % des naissances ; en 2000, le taux est estimé à 24 %, soit environ 16 000 grossesses par an. Seul le tiers de ces jeunes filles mènent leur grossesse à terme.
Être enceinte quand on est adolescente présente des risques supplémentaires, car on n'a pas achevé sa propre croissance et on doit, en plus, subvenir aux besoins du fœtus ; les apports énergétiques et nutritionnels sont parfois insuffisants, et le poids de naissance du bébé est en général plus faible. Souvent, des problèmes sociaux ou psychologiques s'ajoutent aux difficultés d'ordre biologique.

Conseils d'alimentation

Quand une adolescente est enceinte deux à trois ans après l'apparition de ses règles, elle est en pleine période de croissance rapide : elle a alors besoin de plus de fer, d'acide folique et de calcium qu'une adulte. Il faut donc faire très attention aux carences.
Le poids de naissance du bébé est directement lié à la prise de poids de la mère pendant sa grossesse. Afin d'assurer au fœtus une croissance optimale, une adolescente doit prendre plus de poids que toute autre femme. Prendre trop peu de poids risque de donner naissance à un trop petit bébé.
Une adolescente a tout intérêt à adopter de bonnes habitudes alimentaires – si ce n'est pas déjà le cas –, à équilibrer ses repas, à prendre, durant sa grossesse, autour de 15 kg, à ne pas suivre de régime sous prétexte de garder la ligne – ce n'est pas le moment, à consommer des aliments riches en calcium, en fer, en vitamine D et en acide folique. Le plus souvent, une supplémentation est prescrite.
Les risques sociaux et économiques
Les risques associés aux problèmes de nutrition et de carences sont parfois accrus par des difficultés liées à l'adolescence même ou au milieu socio-économique. Souvent, la jeune fille se rend compte tardivement qu'elle est enceinte ou bien essaie de le cacher ; une

consultation médicale tardive peut alors avoir des conséquences néfastes. De même que le désir de garder la ligne peut entraîner des troubles, d'autres facteurs sont défavorables au bon déroulement de la grossesse : abuser de l'alcool et/ou du tabac ; être tentée par la drogue ; se sentir seule, non soutenue par son entourage, et ne pas chercher une aide psychologique; vivre dans la précarité et ne pas consulter de médecin.
Une grossesse surveillée, avec un apport nutritionnel et un suivi médical adaptés, se déroulera très bien, à la fois pour la mère et pour l'enfant à naître.

PRÉCARITÉ ET PAUVRETÉ

La surveillance prénatale et les apports nutritifs varient selon les ressources d'un foyer. Ainsi, les femmes qui ont un faible revenu passent moins de visites prénatales que celles qui disposent de revenus moyens ou élevés ; pendant leur grossesse, elles ont plus de problèmes de santé et sont plus souvent hospitalisées. La précarité financière d'une femme accroît les risques de naissance prématurée et de faible poids du bébé.

Les mesures de santé publique

Qu'elle soit financière ou sociale, la précarité joue le plus souvent un rôle néfaste dans le déroulement d'une grossesse. La relation entre le niveau socio-économique et la santé d'un enfant à sa naissance a été établie depuis longtemps. Ainsi a été attesté le rapport entre la précarité et la prématurité ou le faible poids du bébé à la naissance : le risque est souvent multiplié par 1,2 et atteint 1,8. Des mesures ont été prises dans le domaine de la santé publique afin de protéger et d'aider les femmes enceintes tant sur le plan médical que social ; si elles consultent en suivant le calendrier fixé par la Sécurité sociale, elles bénéficient de la gratuité des examens et peuvent recourir à des aides : sept visites prénatales et trois visites avec l'enfant sont obligatoires et prises en charge à 100 % ; de même pour tous les soins, médicaux ou dentaires, à partir du 6e mois ; selon

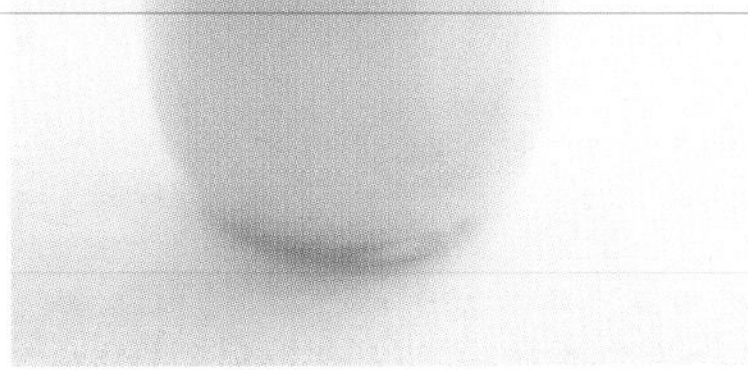

les ressources de la femme ou du couple, une allocation pour jeune enfant (APJE) est versée par la caisse des allocations familiales à partir du 5e mois de grossesse jusqu'au 3e anniversaire de l'enfant. L'ensemble de ces mesures incite à voir un médecin ou une sage-femme. Toutefois, nombreuses sont les femmes qui ne passent pas toutes ces visites obligatoires et qui, de ce fait, ne bénéficient d'aucune aide ; les effets de leur précarité financière ne sont pas atténuées, les risques touchant au bon déroulement de la grossesse et à la santé de l'enfant restent importants.
La précarité sociale est tout aussi néfaste : vivre seule, être isolée car sans emploi, vivre loin de sa famille ou de sa communauté culturelle sont autant de facteurs qui influent sur l'issue d'une grossesse. La naissance d'un enfant aggravera-t-elle la situation d'une femme ou permettra-t-elle une intégration ?

La santé du bébé

Du fait de la précarité et de la pauvreté, certaines grossesses sont peu ou pas suivies, ce qui augmente la fréquence des pathologies périnatales, de la prématurité, du retard de croissance intra-utérin et des infections.
Cette situation perdure en France où, pourtant, l'accès aux soins a, en principe, été facilité.
Associés aux problèmes sociaux et financiers, le jeune âge des mères, les grossesses multiples et rapprochées, les grossesses déniées ou cachées, l'absence de couverture sociale et une situation administrative irrégulière constituent les principales causes de risques périnataux mises en évidence par des études menées à l'hôpital Louis-Mourier, à Colombes.
La précarité et les difficultés d'accès aux soins préventifs qu'elle entraîne sont probablement des facteurs majeurs qui menacent les acquis fantastiques réalisés depuis trente ans dans le domaine de la périnatalogie.
Les femmes en difficulté peuvent, le plus souvent, être aidées par le réseau ville-hôpital, qui coordonne les actions des maternités, des services départementaux de prévention maternelle et infantile (PMI) et d'aide sociale avec celles des sages-femmes, des puéricultrices et des assistantes sociales : on tentera de les convaincre, pour leur bien comme pour celui de l'enfant à naître, de faire suivre leur grossesse, et on leur apportera un soutien nutritionnel.

Les effets sur la nutrition

La précarité et la pauvreté entraînent le plus souvent une alimentation déséquilibrée, qui est néfaste pour la mère et dangereuse pour le développement de son bébé. Les produits bon marché sont riches en matières grasses animales, en sucres et en amidon, mais ils restent faibles en calcium, en fer, en magnésium, en acide folique et en vitamine C : autant de nutriments et de vitamines qui se trouvent dans des aliments plus coûteux tels que les fruits et les légumes frais, le poisson ou les huiles végétales. Des carences en acides gras essentiels ou en acide folique ont souvent des conséquences graves pour l'enfant à naître. Une supplémentation vitaminique, avant tout en vitamine D, en fer et en acide folique, est en général prescrite.

Adopter une alimentation saine, variée et équilibrée reste donc une priorité à atteindre. Toutes les femmes enceintes doivent pouvoir y prétendre. Parfois, il suffit de faire un peu plus attention à ce que l'on achète et à ce que l'on consomme. Bien manger est souvent assez simple et reste accessible à toutes.

NO STRESS

RECETTES

NO STRESS

POTAGES, ENTRÉES ET JUS DE FRUITS

POTAGE AUX LENTILLES ET AUX ÉPICES

↘ Apporte des fibres, des protéines et du calcium. Par portion : 120 kcal (506 kJ). Protéines : 2,3 g. Lipides : 6,5 g. Glucides : 12,6 g. Fibres : 3 g.

PRÉPARATION 10 min **CUISSON** 1 h

Dans une casserole, faites revenir dans l'huile de tournesol l'oignon, l'ail et le piment.
Ajoutez les patates douces et laissez cuire 10 min tout en remuant.
Ajoutez les lentilles, le cumin, la coriandre, le garam massala, la pâte de tamarin (un fruit exotique) et la cannelle.
Continuez la cuisson pendant 1 min sans cesser de remuer.
Incorporez les tomates concassées (coupées grossièrement) et laissez cuire à découvert jusqu'à ce que la sauce réduise et épaississe.
Versez 1 l d'eau dans le mélange puis portez à ébullition.
Baissez le feu, laissez mijoter de 30 à 40 min.
Salez. Passez 1/4 de la préparation au mixeur.
Servez avec un yaourt bio et de la coriandre ciselée (finement coupée).

1er trimestre

Pour 4 personnes

3 cuillerées à soupe d'huile de tournesol
1 oignon moyen haché
1 gousse d'ail hachée
La moitié d'un gros piment finement haché
125 g de patates douces coupées en dés
50 g de lentilles vertes
1 cuillerée à café de cumin moulu
1 cuillerée à café de coriandre moulue
1 cuillerée à café de garam massala (un mélange d'épices indien composé de cannelle, laurier, cumin, coriandre, cardamome, poivre gris, girofle et muscade)
1 cuillerée à café de pâte de tamarin
1 bâton de cannelle
400 g de tomates concassées (en boîte)
1 yaourt bio (125 g)
Coriandre fraîche ciselée
Sel

POTAGE AUX CAROTTES ET AU GINGEMBRE

↘ Riche en bêtacarotène et en glucides complexes (sucres lents). Par portion : 90 kcal (379 kJ). Protéines : 1 g. Lipides : 4,4 g. Glucides : 11 g. Fibres : 2 g.

PRÉPARATION 10 min **CUISSON** 30 min

Dans une grande casserole, faites revenir à feu moyen l'oignon dans l'huile d'olive. Ajoutez l'ail, le gingembre, le cumin et la coriandre. Laissez cuire 1 min.
Ajoutez les carottes et les patates douces, et continuez la cuisson 5 min.
Ajoutez le bouillon de volaille et portez à ébullition. Baissez le feu et laissez mijoter 20 min, jusqu'à ce que les légumes deviennent tendres. Passez au mixeur. Salez et poivrez.
Avant de servir, incorporez une cuillerée de fromage blanc ou de crème aigre (de la crème fermentée) et parsemez de menthe fraîche ciselée (finement coupée).

1er trimestre

POUR 6 PERSONNES

3 cuillerées à soupe d'huile d'olive
1 oignon moyen finement haché
2 gousses d'ail hachées
1 cuillerée à soupe de gingembre râpé
1 cuillerée à café de cumin moulu
1 cuillerée à café de coriandre moulue
200 g de carottes coupées en dés
200 g de patates douces coupées en dés
75 cl de bouillon de volaille
1 cuillerée de fromage blanc (ou de crème aigre)
Menthe fraîche ciselée
Sel et poivre

SAUCE À L'AVOCAT, AU SÉSAME, À L'AIL ET AU YAOURT

↘ Apporte des lipides (notamment des acides gras mono-insaturés), du calcium et du zinc. Par portion : 164 kcal (692 kJ). Protéines : 1,9 g. Lipides : 16,7 g. Glucides : 1,2 g. Fibres : 3 g.

PRÉPARATION 20 min

Écrasez la pulpe de l'avocat jusqu'à obtenir une purée. Ajoutez l'huile d'olive, le jus de citron, le tahina (ou des graines de sésame), et mélangez l'ensemble.
Écrasez l'ail avec une pincée de sel et incorporez-le à l'avocat avec le yaourt bio maigre et l'estragon frais ciselé (finement coupé). Salez et poivrez.
Servez avec du pain complet grillé et des légumes crus.

1er trimestre

POUR 6 PERSONNES

2 avocats bien mûrs
1 cuillerée à soupe d'huile d'olive
3 cuillerées à soupe de jus de citron
2 cuillerées à soupe de tahina, une préparation à base de sésame (ou des graines de sésame)
1 gousse d'ail
1 cuillerée à soupe de yaourt bio maigre
2 cuillerées à soupe d'estragon frais ciselé
Pain complet grillé
Légumes crus (au choix)
Sel et poivre noir

COCKTAIL À LA TOMATE

↘ Apporte du potassium, du bêtacarotène et de la vitamine C. Par verre : 35 kcal (147 kJ). Protéines : 1,5 g. Lipides : 0,2 g. Glucides : 7,1 g. Fibres : 1 g.

PRÉPARATION 5 min

Versez le jus de tomate, le jus des citrons, la sauce Worcester et les traits de tabasco (une petite quantité) dans une carafe.
Mélangez et poivrez.
Dans six grands verres, disposez des glaçons jusqu'à mi-hauteur et remplissez avec la préparation.
Décorez avec les branches de céleri.

1er trimestre

POUR 6 VERRES

1 l de jus de tomate
Le jus de 2 citrons (environ 6 cuillerées à soupe)
1 cuillerée à soupe de sauce Worcester
6 à 12 traits de tabasco
Glaçons
6 fines branches de céleri
Poivre noir

DOUCEUR À LA BANANE ET AUX NOIX DE PÉCAN

↘ Apporte des protéines, du potassium, du magnésium et des vitamines B1, B5, B6, B8 et B9 (acide folique). Par verre : 243 kcal (1 025 kJ). Protéines : 5,3 g. Lipides : 9,3 g. Glucides : 37 g. Fibres : 4 g.

PRÉPARATION 10 min

Passez au mixeur les bananes, les noix de pécan, les 10 cl de yaourt bio (ou de tonyu) et le jus d'orange.
Ajoutez du lait ou de l'eau jusqu'à obtenir la consistance désirée.
Servez frais.

1er trimestre

POUR 2 VERRES

2 bananes bien mûres
25 g de noix de pécan
10 cl de yaourt bio (ou de tonyu, du « lait » de soja)
5 cuillerées à soupe de jus d'orange frais
Du lait ou de l'eau pour diluer

JUS DE FRUITS D'ÉTÉ

↘ Favorise l'hydratation.
Par verre : 39 kcal
(164 kJ). Protéines : 0,8 g. Lipides : 0,4 g.
Glucides : 8,5 g.
Fibres : 3,1 g.

PRÉPARATION 10 min

Équeutez les fraises. Pelez et dénoyautez la pêche. Passez au mixeur les fraises, la pêche, les framboises et le jus d'orange. Diluez avec de l'eau gazeuse jusqu'à obtenir la consistance souhaitée.

1er trimestre

POUR 4 VERRES

150 g de fraises
1 pêche bien mûre
125 g de framboises
5 cuillerées à soupe de jus d'orange
De l'eau minérale gazeuse pour diluer

DÉLICE AUX ABRICOTS ET AUX FIGUES

↘ Riche en bêtacarotène et en fibres.
Par verre : 186 kcal (784 kJ). Protéines : 5,5 g.
Lipides : 1,3 g. Glucides : 31,3 g. Fibres : 9,4 g.

PRÉPARATION 15 min

Passez au mixeur les abricots secs, le gingembre, les figues, le jus de citron et le yaourt bio. Ajoutez du lait ou de l'eau jusqu'à obtenir la consistance souhaitée.

1er trimestre

POUR 2 VERRES

125 g d'abricots secs coupés en quatre
1 cuillerée à café de gingembre râpé
2 grosses figues fraîches
3 cuillerées à soupe de jus de citron
1 yaourt bio (125 g)
Du lait ou de l'eau pour diluer

NO STRESS

POISSONS, VIANDES ET PÂTES

POISSON À LA SAUCE CHERMOULA

↘ Excellente source de protéines, d'acides gras oméga-3, de potassium, de vitamines B2, B6, B9 (acide folique) et E. Apporte aussi du fer et du zinc.Par portion : 529 kcal (2 232 kJ). Protéines : 62,3 g. Lipides : 31 g (acides gras saturés : 6,2 g ; acides gras mono-insaturés : 16,8 g ; acides gras poly-insaturés : 4,2 g). Glucides : 0,3 g.

PRÉPARATION 20 min
PRÉCHAUFFAGE du four 200 °C **CUISSON** 5 à 15 min
MARINADE 2 h au moins (si possible une nuit)

Sauce chermoula : hachez finement le persil, la coriandre et l'ail ; ajoutez le cumin, le paprika et le piment. Si vous préférez, versez tous ces ingrédients dans un mixeur jusqu'à obtenir une pâte lisse. Ajoutez l'huile d'olive et le vinaigre de vin blanc (ou le jus de citron). Salez et poivrez. Essuyez le poisson avec du papier absorbant, puis posez-le sur une feuille d'aluminium huilée. Salez et poivrez. Si vous prenez des sardines : disposez quatre sardines sur la feuille d'aluminium, nappez-les de sauce chermoula, puis disposez par-dessus les quatre sardines restantes. Si vous choisissez un gros poisson entier : faites de profondes entailles dans la chair du poisson, dans lesquelles vous insérerez de la sauce chermoula. Puis badigeonnez le poisson avec de la sauce et laissez-le mariner au réfrigérateur pendant 2 h au moins, et si possible pendant une nuit. Versez le reste de la sauce dans un petit récipient. Faites cuire le poisson au four entre 5 et 15 min. Servez avec le reste de la sauce chermoula et des pains peu levés (par exemple des naans).

1er au 3e trimestre

POUR 4 PERSONNES

3 cuillerées à soupe de persil plat frais ciselé
3 cuillerées à soupe de coriandre fraîche ciselée
2 gousses d'ail écrasées avec du sel
1 cuillerée à soupe de cumin fraîchement moulu
1 cuillerée à soupe de paprika doux
1/2 cuillerée à café de piment moulu (ou la moitié d'un gros piment rouge finement haché)
5 cuillerées à soupe d'huile d'olive
3 cuillerées à soupe de vinaigre de vin blanc (ou de jus de citron)
8 grosses sardines vidées (ou des filets de sardines, ou 1 kg de poisson gras, par exemple du rouget barbet ou de la daurade)
Feuilles de roquette
4 pains : par exemple des naans (des pains indiens peu levés)
Sel et poivre noir

POISSON EN PAPILLOTE AUX ÉPINARDS ET AUX TOMATES

↘ Apporte des protéines, des fibres, de la vitamine B9 (acide folique) et un peu de calcium. Par portion : 451 kcal (1 903 kJ). Protéines : 47,4 g. Lipides : 28 g. Glucides : 2 g. Fibres : 6 g.

PRÉPARATION 30 min
PRÉCHAUFFAGE du four 200 °C **CUISSON** 15 min

Huilez légèrement 4 feuilles d'aluminium ou de papier sulfurisé. Répartissez les épinards cuits et égouttés sur les feuilles d'aluminium. Salez et poivrez.
Disposez les morceaux de poisson sur les épinards et parsemez de marjolaine (ou de basilic).
Répartissez les rondelles de tomates sur le poisson et finissez par un mince filet de crème fraîche liquide (ou allégée).
Fermez les papillotes de poisson en les ourlant correctement, de façon à emprisonner les arômes, et faites-les cuire au four pendant environ 15 min : l'aluminium, ou le papier sulfurisé, gonflera quand le poisson sera cuit.
Servez très chaud avec des pommes de terre nouvelles cuites à la vapeur.
Laissez à vos invités le plaisir d'ouvrir l eur papillote.

1er au 3e trimestre

POUR 4 PERSONNES

2 cuillerées à soupe d'huile d'olive
800 g d'épinards frais cuits et égouttés
4 morceaux de poisson de 200 g chacun : queue de lotte, filet de saumon, filet de flétan…
2 cuillerées à soupe de marjolaine (ou de basilic frais)
2 grosses tomates bien mûres coupées en rondelles
2 cuillerées à soupe de crème fraîche liquide (ou allégée)
Pommes de terre nouvelles cuites à la vapeur
Sel et poivre noir

Ce plat est riche en protéines (le poisson) et en fibres (les tomates et les épinards). Les lipides sont avant tout fournis par la crème fraîche et l'huile d'olive, mais si vous voulez en réduire la quantité, vous pouvez utiliser de la crème fraîche allégée.

COUSCOUS AU POISSON ET AU FENOUIL

↘ Excellente source de protéines, de fibres, de glucides complexes (sucres lents), d'acides gras mono-insaturés et d'antioxydants.
Par portion : 535 kcal (2 257 kJ). Protéines : 42,3 g. Lipides : 14 g (acides gras saturés : 2,9 g ; acides gras mono-insaturés : 6,6 g ; acides gras poly-insaturés : 2,3 g). Glucides : 63,6 g. Fibres : 6,4 g.

PRÉPARATION 40 min
CUISSON 35 min

Dans une grande casserole, faites revenir dans l'huile d'olive l'oignon, le fenouil et l'ail pendant 5 min, à feu moyen. Ajoutez la coriandre, le cumin, le safran, la cannelle et le demi-piment, et continuez la cuisson 1 min, jusqu'à ce que les épices embaument. Incorporez les tomates concassées. Salez, poivrez et portez à ébullition.
Baissez le feu et laissez mijoter 15 min à découvert jusqu'à obtenir une sauce épaisse. Ajoutez le fumet de poisson.
Quand le mélange arrive à ébullition, baissez le feu et laissez mijoter encore 10 min.
Ajoutez les morceaux de poisson et laissez mijoter environ 5 min, jusqu'à ce que le poisson soit cuit. Incorporez le persil et la coriandre.
Laissez reposer quelques minutes avant de servir. Servez avec du couscous cuit à la vapeur (suivez les instructions indiquées sur l'étiquette). Ajoutez de la harissa si vous aimez les plats piquants.

1er au 3e trimestre

POUR 4 PERSONNES

3 cuillerées à soupe d'huile d'olive
1 oignon moyen émincé
1 gros bulbe de fenouil coupé en deux
2 gousses d'ail coupées en lamelles
1 cuillerée à café de coriandre fraîchement moulue
1 cuillerée à café de cumin fraîchement moulu
Une pincée de safran
Une pincée de cannelle
1/2 piment rouge haché
400 g de tomates concassées (en boîte)
60 cl de fumet de poisson
500 g de filets de poisson gras coupés en gros morceaux (rouget barbet ou daurade)
2 cuillerées à soupe de persil plat frais ciselé
2 cuillerées à soupe de coriandre fraîche ciselée
300 g de couscous
Harissa
Sel de mer et poivre noir

HOMARD AUX HARICOTS VERTS, SAUCE THAIE

↘ Riche en protéines, en vitamine C et en fibres. Par portion : 363 kcal (1 531 kJ). Protéines : 24 g. Lipides : 11,2 g. Glucides : 44 g. Fibres : 5,2 g

PRÉPARATION 10 min
CUISSON (des homards) 25 min
CUISSON (des pommes de terre) 10 min
CUISSON (des haricots verts) 10 min

Écrasez le gingembre, le piment, le lemon-grass et l'ail dans un mortier jusqu'à obtenir une pâte lisse. Vous pouvez également les passer au mixeur. Ajoutez la coriandre, le jus de citron vert, l'huile de tournesol et le nuoc-mâm. Mélangez bien. Salez et poivrez. Présentez la préparation dans une saucière ou versez-la sur les homards cuits, accompagnés de pommes de terre et de haricots verts.

3e trimestre

POUR 2 PERSONNES

1 cuillerée à soupe de gingembre râpé
La moitié d'un gros piment vert épépiné et coupé en lamelles
1 branche de lemon-grass émincée (plante aromatique)
1 gousse d'ail hachée
4 cuillerées à soupe de coriandre fraîche ciselée
3 cuillerées à soupe de jus de citron vert
2 cuillerées à soupe d'huile de tournesol
1 cuillerée à soupe de nuoc-mâm (facultatif)
2 petits homards entiers cuits à l'autocuiseur (ou deux gros demi-homards)
8 pommes de terre nouvelles cuites à l'autocuiseur
175 g de haricots verts cuits à l'autocuiseur
Sel et poivre blanc

CANARD AU CINQ-ÉPICES

↘ Riche en protéines, en potassium, en phosphore et en vitamines B1, B2 et B9 (acide folique).
Par portion : 260 kcal (1 097 kJ). Protéines : 29 g. Lipides : 13 g. Glucides : 6 g. Fibres : 2,5 g.

PRÉPARATION 15 min
PRÉCHAUFFAGE du four 150 °C **CUISSON** 10 min
MARINADE 4 heures (si possible une nuit)

Parez les filets de canard : préparez-les en enlevant le gras, la peau et les tendons.
Faites des entailles dans les filets afin de faire pénétrer la future marinade.
Dans un plat, mélangez la sauce de soja, le miel, le gingembre, l'ail, l'huile de sésame et le cinq-épices.
Tournez les filets de canard dans cette préparation, couvrez et faites mariner au réfrigérateur pendant 4 heures, si possible jusqu'au lendemain.
Enlevez les filets de la marinade et essuyez-les avec du papier absorbant.
Disposez les filets de canard dans une poêle munie d'une poignée qui résiste à la chaleur.
Faites cuire à feu moyen pendant 5 min.
Puis placez la poêle sous le gril du four et continuez la cuisson 5 min en tournant la viande à mi-cuisson (pour obtenir une cuisson entre saignant et à point).
Versez la marinade dans une petite casserole et mettez sur le feu. Quand la préparation arrive à ébullition, baissez le feu et laissez mijoter quelques instants. Filtrez la préparation dans une passoire.
Servez les filets de canard découpés en tranches sur un lit de légumes.
Versez la marinade chaude sur l'ensemble.

1er au 3e trimestre

POUR 4 PERSONNES

4 filets de canard
10 cl de sauce de soja
1 cuillerée à soupe de miel
1 cuillerée à soupe de gingembre râpé
2 gousses d'ail hachées
1 cuillerée à soupe d'huile de sésame
1 cuillerée à café de cinq-épices moulu (mélange utilisé en cuisine chinoise et composé d'anis étoilé, de girofle, de fenouil, de cannelle et de poivre)

Ce plat est riche en protéines (le canard). Comme les autres volailles, le canard est pauvre en acides gras saturés (c'est surtout la peau qui concentre le gras). Il est riche en vitamines B1 et B2 ; il apporte autant de protéines que le poulet et un peu plus de lipides. Attention aux risques de salmonellose : faites bien cuire la viande, respectez toujours les durées de cuisson.

AGNEAU GRILLÉ AU CÉLERI-RAVE ET AUX MARRONS

↘ Riche en protéines, en sélénium, en potassium et en vitamines B3 et B9 (acide folique).
Par portion : 431 kcal (1 818 kJ). Protéines : 25,7 g. Lipides : 26,8 g. Glucides : 23 g. Fibres : 9,7 g.

PRÉPARATION 20 min
PRÉCHAUFFAGE du four 200 °C
CUISSON 30 min

Dans une grande casserole, faites revenir l'oignon dans l'huile d'olive pendant 5 min, à feu moyen, tout en remuant régulièrement.
Ajoutez les dés de céleri-rave et continuez la cuisson pendant 15 min.
Quand le céleri-rave est légèrement doré, ajoutez les marrons, l'ail et le thym (ou le romarin). Salez et poivrez.
Versez l'eau (ou le vin rouge) et portez à ébullition. Baissez le feu, couvrez et laissez mijoter 15 min à feu doux, en remuant de temps en temps afin que les légumes n'attachent pas.
Saisissez les côtes d'agneau dans une poêle bien chaude.
Assaisonnez, puis faites-les rôtir 5 à 10 min au four en les tournant une fois au cours de la cuisson.
Servez les côtes d'agneau sur un lit de céleri-rave.
Vous pouvez aussi utiliser cette préparation pour farcir une volaille.

1er au 3e trimestre

POUR 4 PERSONNES

4 cuillerées à soupe d'huile d'olive
1 oignon moyen haché
650 g de céleri-rave pelé et coupé en dés de 2 cm de côté
200 g de marrons pelés, cuits et hachés grossièrement
2 gousses d'ail hachées
1 cuillerée à soupe de thym frais ciselé (ou de romarin)
5 cuillerées à soupe d'eau (ou de vin rouge)
4 côtes d'agneau
Sel et poivre

L'agneau apporte de la vitamine B3 et du sélénium, les marrons de l'acide folique.
Le céleri-rave est un légume d'hiver savoureux, qui appartient à la même famille que le céleri en branches. Il peut être consommé chaud en garniture, ou cru en salade. C'est une excellente source de potassium.

KEBABS DE PORC AUX PISTACHES

↘ Riche en protéines, en fer, en fibres, en potassium, en phosphore, en zinc et en vitamines B1, B2, B5 et B6.Par portion : 355 kcal (1 498 kJ). Protéines : 50 g. Lipides : 14,6 g. Glucides : 6,7 g. Fibres : 1,8 g.

PRÉPARATION 15 min
CUISSON (de la viande) 15 min
CUISSON (des pommes de terre ou du riz) 10 ou 20 min

D'origine turque, le mot « kebab » désigne de la viande coupée en morceaux puis grillée, en brochettes.
La recette est ici adaptée au porc.
Trempez 16 brochettes en bambou dans de l'eau froide pendant 10 min.
Écrasez les graines de fenouil et l'ail dans un mortier jusqu'à obtenir une pâte lisse.
Versez ensuite cette purée dans un grand récipient.
Ajoutez le porc, le piment, la chapelure, le quatre-épices et les pistaches. Mélangez l'ensemble.
Salez et poivrez.
Si vous le souhaitez, vous pouvez laisser la préparation mariner au réfrigérateur.
Faites de petites boulettes de viande d'environ 50 g et piquez-les sur les brochettes en leur donnant la forme de fuseaux d'environ 10 cm de longueur. Comprimez la préparation afin d'éviter que les boulettes ne se délitent à la cuisson.
Faites griller les kebabs 10 à 15 min (sur le gril ou au barbecue), jusqu'à ce que la viande soit bien cuite.
Servez avec de la salade (mesclun) et des pommes de terre (ou du riz complet).

1er au 3e trimestre

POUR 16 BROCHETTES ENVIRON

**2 cuillerées à café de graines de fenouil fraîchement moulues
2 gousses d'ail 650 g de porc haché. La moitié d'un gros piment (rouge ou vert) finement haché (facultatif) 25 g de chapelure. 2 cuillerées à café de quatre-épices moulu (mélange de cannelle, de muscade, de girofle et de poivre/ou de gingembre/ou de piment)
50 g de pistaches grillées
Mesclun. Pommes de terre cuites à l'autocuiseur (ou du riz complet)
Sel et poivre noir**

Le porc est une source de protéines, de fer, de potassium, de zinc et de vitamines B1, B2 et B6. La vitamine C permet une meilleure absorption du fer, d'où l'intérêt d'accompagner cette viande d'une salade verte ou d'un jus de fruits.

RAGOÛT DE BŒUF

↘ Riche en protéines, en zinc, en fer, en vitamine B2 et en glucides complexes (sucres lents). Par portion : 484 kcal (2 042 kJ). Protéines : 54,5 g. Lipides : 6,8 g. Glucides : 4,3 g. Fibres : 0,2 g.

PRÉPARATION 20 min Préchauffage du four 150 °C
CUISSON (du ragoût) 2 h-2 h 30, à la cocotte ou au four
CUISSON (des patates douces) 10 min

Versez de l'eau chaude sur les cèpes. Quand ils sont réhydratés, retirez-les de l'eau, puis filtrez cette eau, que vous mettrez de côté.
Dans une cocotte, faites revenir dans l'huile d'olive, à feu moyen, les dés de bœuf. Faites-le en plusieurs fois : si vous placez toute la viande en une seule fois dans la cocotte, elle ne dorera pas.
Retirez la viande, baissez le feu et faites revenir l'oignon, les cèpes et l'ail dans la cocotte pendant 5 min. Ajoutez le thym et la farine, et continuez la cuisson 1 min, tout en remuant.
Ajoutez le bouillon de bœuf, l'eau des cèpes, le sucre roux, la noix de muscade et la feuille de laurier. Mélangez. Salez et poivrez.
Quand la préparation arrive à ébullition, baissez le feu et laissez mijoter 2 h à couvert, jusqu'à ce que la viande soit bien cuite.
Au bout de 1 h de cuisson, vérifiez que le liquide ne bout pas et n'a pas trop réduit.
Vous pouvez également cuire la préparation pendant 2 h environ au four.
Servez avec une purée de patates douces.
Traditionnellement, une tranche de pain tartinée de moutarde est incorporée, en cours de cuisson, à la préparation.

1er au 3e trimestre

POUR 4 PERSONNES

30 g de lamelles de cèpes séchées
3 cuillerées à soupe d'huile d'olive
700 g de bœuf à braiser coupé en cubes de 2 cm
1 oignon moyen émincé
2 gousses d'ail émincées
1 cuillerée à soupe de feuilles de thym frais
1 cuillerée à soupe débordante de farine
50 cl de bouillon de bœuf
1 cuillerée à soupe de sucre roux
1/2 cuillerée à café de noix de muscade râpée
1 feuille de laurier
Purée de patates douces cuites à l'autocuiseur
1 tranche de pain tartinée de moutarde
Sel et poivre

La viande de bœuf est une bonne source de protéines, de fer, de zinc et de vitamine B2. Si vous le souhaitez, vous pouvez réduire la quantité de lipides en choisissant des morceaux maigres. Les patates douces fournissent des glucides complexes.

POULET AUX LÉGUMES, SAUCE GADO GADO

↘ Riche en protéines, en bêtacarotène, en potassium, en fibres, en vitamines B5 et B9 (acide folique), en fer et en vitamine C. Par portion : 541 kcal (2 283 kJ). Protéines : 40,3 g. Lipides : 40,2 g. Glucides : 15 g. Fibres : 9 g.

PRÉPARATION 20 min
CUISSON (de la sauce et des légumes) 30 min
CUISSON (du poulet) 15 min

Préparez la sauce gado gado : passez au mixeur l'oignon, l'ail, la pâte de crevettes et le piment jusqu'à obtenir une purée. Dans une casserole, faites cuire cette purée avec l'huile de tournesol, à feu moyen, pendant 5 min, en remuant régulièrement. Ajoutez le nuoc-mâm, le beurre de cacahouète, le lait de coco, le sucre roux et l'eau. Portez à ébullition puis baissez le feu et laissez mijoter 20 min, en remuant de temps en temps. Hors du feu, incorporez le jus de citron vert. Préparez la salade : faites cuire à la vapeur les bouquets de chou-fleur et les carottes pendant 3 min. Faites cuire à la vapeur les pois mange-tout et les courgettes pendant 1 min. Égouttez les légumes, laissez-les refroidir. Disposez ces légumes dans un saladier, puis ajoutez le concombre, le poivron et 4 cuillerées à soupe de sauce gado gado. Séparez les feuilles de coriandre des queues. Hachez les queues et ajoutez-les aux légumes, avec la moitié des feuilles. Répartissez les légumes sur quatre assiettes. Coupez les blancs de poulet en lanières sur les légumes. Nappez avec le reste de sauce et parsemez de feuilles de coriandre.

1er au 3e trimestre

POUR 4 PERSONNES

Pour la sauce :
1 petit oignon haché
1 gousse d'ail hachée
1/2 cuillerée à café de pâte de crevettes (facultatif)
1/2 cuillerée à café de piment
1 cuillerée à soupe d'huile de tournesol
2 cuillerées à soupe de nuoc-mâm (facultatif)
125 g de beurre de cacahouète
20 cl de lait de coco
1 cuillerée à soupe de sucre roux
2 cuillerées à soupe d'eau
3 cuillerées à soupe de jus de citron vert
Pour la salade :
200 g de chou-fleur
200 g de carottes émincées
200 g de pois mange-tout
200 g de courgettes émincées
1/2 concombre
1 petit poivron rouge
1 bouquet de coriandre fraîche (environ 60 g)
2 blancs de poulet pochés ou grillés

PÂTES AUX PETITS POIS, AUX FÈVES ET À LA PANCETTA

↘ Apporte des glucides complexes (sucres lents), des protéines, du calcium et du zinc. Par portion: 401 kcal (1 692 kJ). Protéines : 19,7 g. Lipides : 20,3 g. Glucides : 37,3 g. Fibres : 8,6 g.

PRÉPARATION 15 min **CUISSON** 20 min

Dans une casserole à fond épais, faites revenir dans l'huile d'olive, à feu moyen, la pancetta fumée (ou la poitrine fumée).
Ajoutez l'ail et la marjolaine (ou le romarin), et continuez la cuisson quelques minutes.
Mettez de côté la préparation.
Dans une casserole, portez de l'eau à ébullition pour y faire cuire les petits pois puis les fèves. Égouttez-les soigneusement.
Si les fèves sont assez grandes, une fois cuites, passez-les sous l'eau froide puis débarrassez-les de leur fine pellicule blanchâtre en les pinçant entre deux doigts.
Ajoutez à la pancetta les petits pois et les fèves, incorporez la crème fraîche épaisse (ou allégée) et remettez l'ensemble sur le feu.
Quand la préparation arrive à ébullition, baissez le feu et laissez mijoter 1 min.
Faites cuire les pâtes al dente dans une grande quantité d'eau bouillante salée : une fois cuites, elles doivent rester fermes sous la dent.
Prélevez une tasse d'eau de la cuisson, puis égouttez les pâtes. Versez la sauce et la moitié du parmesan râpé sur les pâtes et mélangez. Salez et poivrez.
Saupoudrez les pâtes avec le reste du parmesan.

1er au 3e trimestre

POUR 4 PERSONNES

1 cuillerée à soupe d'huile d'olive
75 g de pancetta fumée coupée en dés (ou de poitrine fumée)
1 gousse d'ail hachée
2 cuillerées à café de marjolaine (ou de romarin frais ciselé)
150 g de petits pois écossés
250 g de fèves écossées
15 cl de crème fraîche épaisse (ou allégée)
450 g de pâtes (pappardelle ou penne par exemple)
50 g de parmesan fraîchement râpé
Sel et poivre

Ce plat très équilibré est constitué de protéines animales (la pancetta et le parmesan), de lipides (la crème fraîche épaisse) et de glucides complexes (les pâtes). Vous pouvez réduire la quantité de lipides en utilisant de la crème fraîche allégée. Le parmesan apporte du calcium, et les petits pois du zinc.

PÂTES AUX POIREAUX ET AUX ANCHOIS

↘ Apporte des glucides complexes (sucres lents), des protéines, un peu de vitamine B9 (acide folique), du bêtacarotène, des fibres et de la vitamine C. Par portion : 348 kcal (1 468 kJ). Protéines : 11,7 g. Lipides : 22 g. Glucides : 27,7 g. Fibres : 5,4 g.

PRÉPARATION 10 min CUISSON 30 min

Dans une casserole à fond épais, faites revenir dans l'huile d'olive les poireaux et l'ail pendant 20 min, à feu moyen, en remuant souvent.
Rincez les anchois et hachez-les grossièrement.
Hors du feu, versez les anchois dans la préparation et remuez jusqu'à ce qu'ils fondent : si vous oubliez de retirez la casserole du feu, la texture deviendra grumeleuse.
Replacez la casserole sur le feu et ajoutez le romarin.
Mettez la préparation obtenue de côté.
Faites cuire les pâtes al dente dans une grande casserole d'eau bouillante salée : une fois cuites, elles doivent rester fermes sous la dent.
Prélevez une tasse d'eau de la cuisson des pâtes, puis égouttez-les.
Incorporez dans la sauce la crème fraîche épaisse (ou allégée), le zeste du citron et le persil.
Éventuellement, si vous estimez que la sauce est trop épaisse, ajoutez un peu d'eau de cuisson des pâtes.
Versez la sauce obtenue sur les pâtes.
Salez et poivrez.

1er au 3e trimestre

POUR 4 PERSONNES

3 cuillerées à soupe d'huile d'olive
500 g de poireaux émincés
2 gousses d'ail hachées
100 g d'anchois
1 cuillerée à soupe de romarin frais ciselé
300 à 400 g de pâtes (des penne par exemple)
15 cl de crème fraîche épaisse (ou allégée)
Le zeste d'un citron
2 cuillerées à soupe de persil plat frais ciselé
Sel et poivre

Les poireaux apportent de l'acide folique et des fibres, qui sont excellentes pour lutter contre la constipation. Les anchois fournissent des protéines ainsi que des acides gras oméga-3. Le persil (comme le citron) constitue une très bonne source de vitamine C et fournit de la vitamine B9 et du bêtacarotène. Veillez à boire beaucoup d'eau car les anchois sont riches en sodium.

NO STRESS

LÉGUMES ET SALADES COMPOSÉES

GNOCCHIS AU POTIRON

↘ Apporte des protéines, du bêtacarotène, du calcium, du zinc, du potassium et de la vitamine A. Par portion : 534 kcal (2 253 kJ). Protéines : 22 g. Lipides : 38,5 g. Glucides : 18 g. Fibres : 2,7 g.

PRÉPARATION 20 min Préchauffage du four 180 °C
CUISSON 1 h Temps de repos 1 h (si possible une nuit)

Préparez les gnocchis : coupez le potiron en tranches. Tapissez un plat à gratin avec une feuille d'aluminium huilée et disposez les tranches de potiron. Salez, poivrez. Faites rôtir 40 min au four. Émincez l'oignon et l'ail. Dans une poêle, faites revenir dans du beurre l'oignon et l'ail. Ajoutez le romarin, et retirez du feu. Si le potiron a rendu de l'eau, égouttez-le, placez-le dans un saladier. Ajoutez la préparation à l'oignon et écrasez le tout pour obtenir une purée. Laissez refroidir. Ajoutez la noix de muscade, le parmesan, la ricotta et les œufs. Incorporez la farine. Couvrez. Laissez reposer 1 h au réfrigérateur. Dans une casserole, portez de l'eau à ébullition. Faites une boulette de pâte, jetez-la dans l'eau. Cuisez-la jusqu'à ce qu'elle remonte à la surface. Farinez un plan de travail, faites des boulettes. Saupoudrez les gnocchis de farine. Laissez reposer 10 min au réfrigérateur. Préparez la sauce : dans une casserole, faites revenir dans l'huile d'olive le romarin, le piment et le sel. Retirez du feu, laissez infuser pendant la cuisson des gnocchis. Jetez les gnocchis dans de l'eau frémissante. Quand ils remontent à la surface, retirez-les et égouttez-les. Disposez-les sur un plat. Nappez de sauce et saupoudrez de parmesan.

1er au 3e trimestre

POUR 6 PERSONNES

Pour les gnocchis :
700 g de potiron (500 g sans l'écorce)
2 cuillerées à soupe d'huile d'olive
1 gros oignon
3 gousses d'ail
75 g de beurre
1 cuillerée à soupe de romarin frais ciselé
1/2 cuillerée à café de noix de muscade râpée
50 g de parmesan fraîchement râpé
250 g de ricotta
2 œufs battus légèrement
100 g de farine
Sel et poivre
Pour la sauce :
3 cuillerées à soupe d'huile d'olive
1 cuillerée à soupe de romarin frais ciselé
1 gros piment rouge haché finement
Parmesan frais
Sel

POIVRONS FARCIS VÉGÉTARIENS

↘ Riche en glucides complexes (sucres lents), en potassium, en vitamine C et en bêtacarotène. Apporte aussi du zinc et du magnésium.
Par portion : 252 kcal (1 063 kJ). Protéines : 6 g. Lipides : 9,3 g. Glucides : 39,7 g. Fibres : 6,4 g.

PRÉPARATION 15 min Préchauffage du four 190°C
CUISSON (de la farce et des poivrons) 50 min
CUISSON (des haricots verts) 10 min

Préparez la farce : dans une grande casserole, faites revenir dans 1 cuillerée à soupe d'huile d'olive les pignons et l'oignon, à feu moyen, jusqu'à ce que les pignons soient légèrement dorés et que l'oignon soit translucide.
Ajoutez l'ail, le piment rouge, le quatre-épices, la cannelle, les raisins secs et les haricots verts, et continuez la cuisson quelques minutes, tout en remuant. Salez et poivrez. Ajoutez le bouillon et le safran. Laissez cuire jusqu'à l'évaporation du bouillon. Ajoutez le couscous, les tomates et l'eau, et laissez cuire quelques minutes, à feu doux, jusqu'à ce que le couscous ait doublé de volume. Hors du feu, ajoutez l'origan (ou le persil).
Découpez la partie supérieure des poivrons et retirez l'intérieur (les graines et les cloisons). Farcissez-les généreusement et replacez les chapeaux. Arrosez d'un filet d'huile d'olive et faites cuire au four 30 à 40 min, jusqu'à ce que les poivrons soient tendres et les chapeaux bien dorés.

1er trimestre

POUR 6 PERSONNES

4 cuillerées à soupe d'huile d'olive
100 g de pignons
1 oignon moyen haché
3 gousses d'ail hachées
1 gros piment rouge haché
1 cuillerée à café de quatre-épices moulu (mélange de cannelle, de muscade, de girofle et de poivre/ou de gingembre/ou de piment)
1 cuillerée à café de cannelle en poudre
100 g de raisins secs
150 g de haricots verts cuits à l'autocuiseur et hachés finement
20 cl de bouillon de légumes
1 pincée de safran
150 g de couscous
225 g de tomates bien mûres concassées
10 cl d'eau
2 cuillerées à soupe d'origan (ou de persil frais haché grossièrement)
3 gros poivrons rouges
3 gros poivrons jaunes
Un filet d'huile d'olive
Sel et poivre noir

RIZ BRUN ET LENTILLES DU PUY AUX ÉPICES

↘ Riche en glucides complexes (sucres lents), en protéines, en fibres, en fer, en zinc, en magnésium, en sélénium et en vitamines B5 et B9 (acide folique). Par portion : 180 kcal (759 kJ). Protéines : 2,7 g. Lipides : 14,5 g. Glucides : 10,2 g. Fibres : 2,3 g.

PRÉPARATION 5 min **CUISSON** 45 min

Rincez le riz et les lentilles dans une passoire et laissez-les s'égoutter.
Dans une casserole, faites cuire dans 2 cuillerées à soupe d'huile d'olive la cannelle, le curcuma et le quatre-épices pendant 1 min.
Ajoutez le riz et les lentilles. Mélangez afin de bien les enrober d'épices.
Ajoutez le beurre et 40 cl d'eau, puis couvrez.
Quand la préparation arrive à ébullition, baissez le feu et laissez mijoter environ 40 min à couvert.
Pendant ce temps, dans une poêle, faites revenir dans le reste d'huile les lamelles d'oignon pendant 20 min, à feu moyen, tout en remuant régulièrement ; les lamelles d'oignon doivent devenir caramélisées.
Salez et poivrez. Incorporez l'oignon dans le mélange riz-lentilles, couvrez et laissez reposer 10 min avant de servir.
Servez cette préparation accompagnée d'un morceau de viande ou de poisson, grillé ou rôti.

1er au 3e trimestre

POUR 4 PERSONNES

100 g de riz brun
100 g de lentilles vertes du Puy
4 cuillerées à soupe d'huile d'olive
1 cuillerée à café de cannelle en poudre
1 cuillerée à café de curcuma en poudre
1 cuillerée à café de quatre-épices (mélange de cannelle, de muscade, de girofle et de poivre/ou de gingembre/ou de piment)
25 g de beurre
40 cl d'eau
2 oignons moyens émincés
Viande (ou poisson) grillée et rôtie (facultatif)
Sel et poivre noir

Si vous êtes végétarienne, ce plat vous est recommandé car il est riche en protéines ; il vous apporte également un peu de fer. Les lentilles fournissent des vitamines B5 et B9, du fer, du zinc, du magnésium et du sélénium.

KEBBE AUX CAROTTES ET AUX ABRICOTS

**↘ Riche en glucides complexes (sucres lents), en fibres, en potassium et en bêtacarotène.
Apporte du fer, du magnésium et du calcium.
Par portion : 404 kcal (1 704 kJ). Protéines : 8,7 g.
Lipides : 21,6 g (acides gras saturés : 3 g ; acides gras mono-insaturés : 14,1 g ; acides gras poly-insaturés : 3 g). Glucides : 44,7 g. Fibres : 10,3 g.**

PRÉPARATION 15 min
CUISSON 40 min **TEMPS DE REPOS** 1 h

Dans une grande casserole, faites revenir l'oignon dans l'huile d'olive, pendant 5 min, à feu moyen. Ajoutez les carottes, les patates douces, les pistaches, l'ail, le sel et le poivre. Laissez cuire à couvert pendant 30 min, jusqu'à ce que les légumes deviennent tendres et légèrement caramélisés. Retirez le couvercle et continuez la cuisson 10 min environ afin de faire évaporer le liquide. Hachez grossièrement les abricots et les raisins secs, à la main ou dans un robot. Ajoutez-les aux légumes et continuez de hacher. Versez la préparation dans un grand saladier. Incorporez le persil, la menthe, la chapelure, le jaune d'œuf et la farine. Mélangez bien. Salez et poivrez. Couvrez et laissez reposer 1 h au réfrigérateur. Faites des boulettes de pâte de la taille d'une balle de golf, aplatissez-les légèrement et saupoudrez-les de farine. Dans une grande poêle, faites frire les kebbe dans l'huile, à feu moyen, jusqu'à ce qu'ils soient dorés des deux côtés. Égouttez-les avec du papier absorbant. Servez avec du yaourt dans lequel vous aurez incorporé de la menthe fraîche ciselée.

1er au 3e trimestre

POUR 4 PERSONNES, SOIT 12 KEBBE ENVIRON

**4 cuillerées à soupe d'huile d'olive
1 oignon moyen haché
250 g de carottes coupées en deux, dans le sens de la longueur, et émincées
250 g de patates douces émincées
100 g de pistaches
2 gousses d'ail coupées
75 g d'abricots secs
50 g de raisins secs
3 cuillerées à soupe de persil plat frais ciselé
3 cuillerées à soupe de menthe fraîche ciselée
2 cuillerées à soupe de chapelure fraîche
1 jaune d'œuf
40 g de farine
30 cl d'huile de tournesol (pour la friture)
1 yaourt bio (125 g)
Menthe fraîche ciselée
Sel et poivre**

Les oléagineux et les fruits séchés apportent fer, magnésium et potassium.

BROCOLIS ET CHOU-FLEUR AU GINGEMBRE ET AUX GRAINES DE MOUTARDE

↘ Riche en potassium, en vitamine K, en vitamine B9 (acide folique) et en vitamine C.Par portion : 93 kcal (392 kJ). Protéines : 2,8 g. Lipides : 9 g. Glucides : 1,8 g. Fibres : 2,7 g.

PRÉPARATION 15 min **CUISSON** 10 min

Coupez les brocolis et le chou-fleur en petits bouquets.
Dans une grande casserole ou dans une poêle, faites cuire à feu moyen, dans l'huile de tournesol, les graines de moutarde. Quand les graines commencent à éclater, couvrez.
Ajoutez le gingembre, l'ail, les oignons et le piment. Continuez la cuisson 1 min.
Ajoutez les bouquets de brocolis et de chou-fleur. Faites cuire 1 min tout en remuant.
Puis versez l'eau et poursuivez la cuisson pendant 5 min, jusqu'à ce que les légumes soient croquants.
Enlevez le couvercle et montez le feu pour faire évaporer le liquide.
Ajoutez la coriandre et mélangez bien.
Vous pouvez servir ce plat avec du riz cuit à la vapeur et de la viande ou du poisson. Vous pouvez également le servir avec du riz brun et des lentilles du Puy aux épices (voir la recette p. 128).

3e trimestre

POUR 4 PERSONNES

200 g de brocolis
200 g de chou-fleur
3 cuillerées à soupe d'huile de tournesol
2 cuillerées à soupe de graines de moutarde
1 cuillerée à soupe de gingembre râpé
2 gousses d'ail
4 petits oignons blancs hachés
1 pincée de piment séché (ou la moitié d'un gros piment haché)
20 cl d'eau
2 cuillerées à soupe de coriandre fraîche ciselée

Constitué uniquement de légumes, ce plat léger est idéal en début de grossesse. Par ses légumes, il est riche en potassium et, grâce aux brocolis, il fournit des vitamines B9, C et K. Les épices peuvent soulager les éventuels problèmes de digestion et les nausées.

SALADE DE RIZ SAUVAGE, DE HARICOTS BORLOTTI ET DE LARDONS

↘ Excellente source de glucides complexes (sucres lents), de protéines, de fer, de zinc, de vitamines B1, B5, B8, B9 (acide folique) et de fibres. Par portion : 314 kcal (1 325 kJ). Protéines : 12,9 g. Lipides : 20,3 g (acides gras saturés : 3,9 g ; acides gras mono-insaturés : 12,5 g ; acides gras poly-insaturés : 3 g). Glucides : 21 g. Fibres : 3,7 g

PRÉPARATION 10 min **CUISSON** 50 min
TREMPAGE DES HARICOTS une nuit

Mettez les haricots dans une grande casserole d'eau froide et portez à ébullition. Pendant la cuisson, écumez régulièrement. Ajoutez la moitié de l'ail, le laurier et 1 cuillerée à soupe d'huile d'olive. Continuez la cuisson pendant 45 min, jusqu'à ce que les haricots deviennent tendres. Égouttez.
Si vous remplacez les haricots par des lentilles (ne les faites pas tremper) : faites chauffer les lentilles dans une casserole contenant environ deux fois leur volume d'eau froide. Au frémissement de l'eau, baissez le feu et maintenez à feu doux. Ajoutez la moitié de l'ail, la feuille de laurier et 1 cuillerée à soupe d'huile d'olive. Continuez la cuisson 15 min.
Faites cuire le riz dans une casserole d'eau salée pendant 40 min. Égouttez. Dans une poêle, faites revenir dans le reste d'huile l'oignon et la pancetta pendant 5 min, usqu'à ce que l'oignon devienne translucide et la pancetta dorée.
Ajoutez la sauge, les figues et l'ail restant, et continuez la cuisson pendant 5 min, en remuant.
Incorporez les haricots, le riz et les noix de pécan. Salez et poivrez.

1er au 3e trimestre

POUR 4 PERSONNES

100 g de haricots borlotti à faire tremper plusieurs heures (ou toute une nuit) dans de l'eau froide (ou 100 g de haricots blancs, ou 100 g de lentilles)
4 gousses d'ail taillées en fines lamelles
1 feuille de laurier
3 cuillerées à soupe d'huile d'olive
100 g de riz sauvage (ou de riz brun), à mélanger éventuellement avec du riz basmati
1 petit oignon émincé
100 g de pancetta (ou de poitrine fumée) taillée en lardons
1 cuillerée à soupe de sauge fraîche ciselée
25 g de figues sèches hachées grossièrement
100 g de noix de pécan (ou de noix de cajou) légèrement grillées
Viande grillée ou rôtie (facultatif) Salade (facultatif) Sel et poivre

SALADE DE BETTERAVES ROUGES ET D'ORANGES SANGUINES

↘ Riche en potassium, en calcium, en bêta-carotène, en phosphore, en magnésium, en vitamine B9 (acide folique) et en vitamine C. Par portion : 260 kcal (1 097 kJ). Protéines : 5,4 g. Lipides 21,7 g. Glucides : 10,6 g. Fibres : 4,8 g.

PRÉPARATION 20 min
PRÉCHAUFFAGE du four 180 °C
CUISSON 10 min

Faites griller les noix pendant 10 min sous le gril du four. Laissez-les refroidir et hachez-les grossièrement.
Lavez et essorez les feuilles de cresson, d'épinard et de betterave rouge, puis disposez-les sur une grande assiette. Coupez la betterave en tranches fines, que vous placerez sur la salade.
Épluchez les oranges et, à l'aide d'un couteau, détachez les quartiers.
Dans un bol, mélangez les quartiers d'orange, l'huile de noix (ou de sésame), l'huile d'olive et le jus de citron (ou le vinaigre balsamique). Salez et poivrez.
Versez la sauce obtenue sur la salade et saupoudrez de noix grillées broyées.
Servez aussitôt.

1er trimestre

POUR 4 PERSONNES

100 g de noix du Brésil (ou de noix)
100 g de feuilles de cresson, d'épinard et de betterave rouge
Une betterave cuite et pelée d'environ 250 g
2 oranges sanguines
1 cuillerée à soupe d'huile de noix (ou d'huile de sésame)
1 cuillerée à soupe d'huile d'olive
1 cuillerée à soupe de jus de citron (ou de vinaigre balsamique)
Sel et poivre noir

La betterave rouge est excellente pour la femme enceinte car elle est riche en potassium, en acide folique et en vitamine C (de même que les oranges) ; de plus, ses feuilles regorgent de bêtacarotène. Les noix du Brésil fournissent du potassium, du calcium, du phosphore et du magnésium.

SALADE DE HARICOTS, DE CAROTTES ET DE NOIX DE CAJOU

↘ Mélange de fibres, de phosphore, de potassium, de bêtacarotène, de vitamines B1, B5, B8 et de vitamine C.Par portion : 297 kcal (1 253 kJ). Protéines : 8 g. Lipides : 24 g (acides gras saturés : 3,7 g ; acides gras mono-insaturés : 9,4 g ; acides gras poly-insaturés : 9,7 g). Glucides : 13 g. Fibres : 5,7 g.

PRÉPARATION 20 min
PRÉCHAUFFAGE du four 200 °C
CUISSON 5 min

Préparez la salade : au four, faites griller les noix de cajou pendant 5 min, jusqu'à ce qu'elles soient dorées. Laissez-les refroidir puis hachez-les grossièrement.
Coupez en deux les haricots (ou les pois mange-tout) et faites-les cuire 1 min à la vapeur ou au micro-ondes. Laissez-les refroidir.
Avec un épluche-légumes, découpez des rubans de carottes.
Râpez le chou rouge.
Préparez la vinaigrette : versez l'huile de sésame et de tournesol, le vinaigre, le gingembre et la sauce de soja dans un saladier. Fouettez.
Ajoutez les légumes et la moitié des noix de cajou. Mélangez le tout.
Parsemez avec le reste des noix de cajou. Servez.

1er au 3e trimestre

POUR 4 PERSONNES

Pour la salade :
100 g de noix de cajou
175 g de haricots verts (ou de pois mange-tout)
125 g de carottes
150 g de chou rouge
Pour la vinaigrette :
3 cuillerées à soupe d'huile de sésame
2 cuillerées à soupe d'huile de tournesol
2 cuillerées à soupe de vinaigre de saké (ou de vinaigre de vin blanc)
1 cuillerée à café de gingembre râpé
1 cuillerée à soupe de sauce de soja

Ce plat de légumes, source de potassium, est recommandé en début de grossesse, surtout en cas de nausées. Les carottes sont riches en bêtacarotène. Le chou rouge apporte de la vitamine C, les noix de cajou fournissent des vitamines B et du phosphore.

SALADE LIBANAISE

↘ Apporte du potassium et des vitamines B2 et B9 (acide folique). Par portion : 251 kcal (1 059 kJ). Protéines : 1,1 g. Lipides : 25,3 g. Glucides : 4 g. Fibres : 1,8 g.

PRÉPARATION 20 min
PRÉCHAUFFAGE du four 200 °C
CUISSON 5 min **MARINADE** 30 min

Préparez la salade : mélangez les radis, les tomates, les oignons, le concombre, le poivron et la romaine dans un saladier. Préparez la vinaigrette : mettez l'ail, le jus de citron et l'huile d'olive dans un bol, et fouettez. Salez et poivrez. Versez la vinaigrette sur les légumes et mélangez. Laissez mariner 30 min environ. Faites griller les pitas (des pains peu levés) 3 à 5 min au four. Coupez-les en morceaux et mélangez-les à la salade avec le persil, la menthe et la roquette.

1er au 3e trimestre

POUR 4 PERSONNES

Pour la salade :
150 g de radis émincés
150 g de tomates cerise coupées en quatre
3 petits oignons émincés
1/2 concombre pelé et taillé en rondelles
1 petit poivron vert coupé en lanières
1 salade (romaine)
4 pitas(de préférence à la farine complète)
2 cuillerées à soupe de persil plat frais ciselé
2 cuillerées à soupe de menthe fraîche ciselée
30 g de roquette
Pour la vinaigrette :
1 grosse gousse d'ail écrasée avec du sel
Le jus d'un gros citron
10 cl d'huile d'olive
Sel et poivre noir

Cette salade nourrissante mais non grasse peut être dégustée en début de repas, quand l'appétit augmente, lors du 2e trimestre. Les légumes donnent du potassium, le persil et la salade des vitamines B2 et B9.

NO STRESS

DESSERTS

GÂTEAU AU CHOCOLAT

↘ Apporte des vitamines A, B2, B5, B8 et D, du fer, du zinc, du calcium et du phosphore. Par portion : 448 kcal (1 890 kJ). Protéines : 7,8 g. Lipides : 29 g. Glucides : 41,4 g. Fibres : 2,8 g.

PRÉPARATION 15 min
PRÉCHAUFFAGE du four 180 °C
CUISSON 20 min

Beurrez et farinez un moule à gâteau de 20 cm de diamètre.
Placez un bol au-dessus d'une casserole d'eau frémissante pour y faire fondre le chocolat, le beurre et la moitié du sucre. Veillez à ce que la base du bol ne touche pas l'eau du bain-marie, car il faut éviter que le chocolat ne soit trop chaud.
Séparez les blancs des jaunes d'œuf. Avec un fouet, incorporez les jaunes au chocolat. Ajoutez la farine tamisée et le cacao en poudre.
Dans un grand récipient, battez les blancs d'œufs en neige avec une pincée de sel.
Sans cesser de battre, ajoutez le reste du sucre. Incorporez délicatement les blancs à la préparation au chocolat.
Versez la pâte obtenue dans le moule et faites cuire environ 20 min, jusqu'à ce que le centre du gâteau soit juste cuit. Laissez refroidir et saupoudrez de cacao en poudre.
Servez avec de la crème fraîche allégée.

1er trimestre

POUR 6 PERSONNES

200 g de chocolat noir à 70 % de cacao cassé en petits morceaux
100 g de beurre
100 g de sucre
4 œufs
25 g de farine tamisée
25 g de cacao en poudre
Cacao en poudre pour décorer
Crème fraîche allégée
Sel

Les œufs fournissent des vitamines A, B2, B5, B8, et D, du zinc et du calcium. Le cacao apporte du fer et du phosphore.
En cas de manque d'appétit, ce gâteau très riche apporte toutes les calories nécessaires.
À savourer également en fin de grossesse, pour gonfler les réserves énergétiques juste avant l'accouchement.

GÂTEAU RENVERSÉ À LA MANGUE ET AU CITRON-VERT

↘ Apporte des vitamines A, B1, B5, B6, C et D, du calcium, du magnésium, du fer et du zinc. Par portion : 366 kcal (1 544 kJ). Protéines : 7,3 g. Lipides : 17 g. Glucides : 48,7 g. Fibres : 2 g.

PRÉPARATION 20 min
PRÉCHAUFFAGE du four 180 °C **CUISSON** 40 min

Préparez la garniture : mettez la mangue, le gingembre et le jus de citron dans un saladier et mélangez pour bien enduire la mangue de citron. Tapissez un moule à gâteau de 20 cm de diamètre avec du papier sulfurisé ; veillez à ce que le papier dépasse des bords du moule. Préparez la génoise : mélangez le beurre, le zeste des citrons et le sucre jusqu'à obtenir une pâte légère et crémeuse. Incorporez chaque œuf un à un. Ajoutez la farine, la levure et le lait. Mélangez. À ce stade, ne malaxez pas trop, sinon la pâte perdrait de sa légèreté. Disposez les lanières de mangue et le gingembre dans le fond du moule, et incorporez le jus de la marinade à la pâte. Versez la pâte sur les fruits, puis tapotez délicatement le moule pour laisser échapper les bulles d'air. Faites cuire au four 40 min environ : lorsque vous piquerez la pointe d'un couteau au centre du gâteau, elle devra rester sèche. Laissez reposer le gâteau 10 min avant de le démouler dans un plat. Saupoudrez le gâteau de noix de coco râpée. Servez-le chaud avec du yaourt.

1er au 3e trimestre

POUR 6 PERSONNES

Pour la garniture :
2 grosses mangues bien mûres pelées, dénoyautées et coupées en lanières
2 morceaux de gingembre hachés grossièrement
Le jus de 2 citrons verts
Pour la génoise :
100 g de beurre ramolli
Le zeste de 2 citrons verts
100 g de sucre roux
2 œufs (à température ambiante)
200 g de farine de blé complet
1 cuillerée à café de levure chimique
10 cl de lait
De la noix de coco râpée
1 yaourt bio (125 g)

Riches en vitamine C, la mangue et le citron ont des saveurs qui se marient à merveille. La farine de blé complet apporte des vitamines B, du magnésium et du fer. Le beurre et les œufs fournissent des protéines, des vitamines A et D, du zinc et du calcium.

PUDDING AUX FRUITS D'HIVER

↘ Riche en glucides complexes, en fibres, en vitamines B1, B2 et B9, en potassium, en calcium, en magnésium, en phosphore, en potassium et en fer. Par portion : 221 kcal (932 kJ). Protéines : 2,6 g. Lipides : 2,6 g. Glucides : 50,9 g. Fibres : 7,5 g.

PRÉPARATION 30 min
CUISSON 10 min **TEMPS DE REPOS** 3 h

Préparez la garniture : mettez tous les fruits frais et secs dans une casserole avec le bâton de cannelle, le sucre, le jus de pomme, l'eau, le sachet de thé, la vanille et le jus de poire. Faites chauffer. À ébullition, baissez le feu et laissez mijoter pendant 5 min. Retirez la casserole du feu et ajoutez le gingembre et les amandes. Laissez refroidir. Plus vous laisserez reposer cette préparation, plus le dessert sera parfumé. Retirez le sachet de thé, le bâton de cannelle et la vanille. Préparez le pudding : tapissez un moule à charlotte d'une contenance de 1 l avec du film alimentaire. Trempez une seule face des tranches de pain dans la préparation aux fruits. Tapissez les côtés et le fond du moule avec une partie des tranches, face mouillée vers l'extérieur, afin qu'elles se chevauchent légèrement. Puis versez la préparation au centre, et recouvrez le tout avec le reste des tranches de pain. Posez une assiette sur le pudding, placez-y un poids et laissez reposer 3 h au réfrigérateur. Au moment de servir, tirez délicatement sur le film alimentaire pour faire entrer un peu d'air entre le pudding et les bords du moule. Retournez le moule dans un plat à rebord. Servez avec de la crème anglaise, de la crème fraîche ou du yaourt.

1er trimestre

POUR 6 PERSONNES

75 g d'abricots secs coupés en quatre
75 g de figues sèches coupées en quatre
75 g de pruneaux dénoyautés coupés en deux
50 g de dattes dénoyautées et coupées en deux
25 g de raisins secs
1 pomme pelée et coupée en dés
1 poire pelée et coupée en dés
1 bâton de cannelle
50 g de sucre roux
50 cl de jus de pomme
25 cl d'eau
1 sachet de thé parfumé (par exemple du Earl Grey)
1/2 gousse de vanille fendue
10 cl de jus de poire
2 morceaux de gingembre hachés finement
25 g d'amandes entières mondées
12 tranches de pain de mie complet, de taille moyenne, sans la croûte
Crème anglaise (ou de la crème fraîche, ou du yaourt)

CHEESECAKE AU GINGEMBRE ET AU YAOURT

↘ **Riche en calcium, en fer et en vitamines A et D. Par portion : 386 kcal (1 628 kJ). Protéines : 6,3 g. Lipides : 20,3 g. Glucides : 46,8 g. Fibres : 1,2 g.**

PRÉPARATION 20 min **PREMIER TEMPS DE REPOS** 4 h (si possible une nuit) **TEMPS DE PRISE** 1 h **SECOND TEMPS DE REPOS** 30 min

Versez le fromage blanc dans une passoire tapissée d'une mousseline ou d'un torchon et laissez-le s'égoutter au réfrigérateur, pendant 4 h au moins, et si possible jusqu'au lendemain.
Dans un robot, réduisez en miettes les biscuits au gingembre. Ajoutez le beurre fondu et mélangez bien.
Étalez la préparation obtenue dans le fond d'un moule de 20 cm de diamètre. Faites prendre au réfrigérateur : comptez 1 h environ.
Soulevez la mousseline contenant le fromage blanc et pressez pour en extraire le liquide.
Versez le fromage blanc égoutté dans un récipient, ajoutez les fruits confits, les pignons, le sucre, le zeste de citron et d'orange. Mélangez.
Gardez quelques pignons, quelques fruits confits et un peu de zeste pour décorer.
Versez le mélange sur le fond de tarte et décorez avec les ingrédients mis de côté.
Laissez reposer 30 min au réfrigérateur.
Saupoudrez de cannelle avant de servir.

1er au 3e trimestre

POUR 6 PERSONNES

500 g de fromage blanc en faisselle
225 g de biscuits au gingembre (environ 20)
75 g de beurre fondu
50 g de fruits confits hachés finement
50 g de pignons hachés grossièrement
50 g de sucre glace (selon vos goûts, vous pouvez augmenter ou diminuer cette dose)
Le zeste d'un citron
Le zeste d'une orange
Cannelle en poudre

Le gingembre et les pignons apportent du fer, très utile en milieu de grossesse, quand le volume sanguin de la mère augmente. Il est également réputé pour soulager les nausées. Tandis que le fromage blanc fournit du calcium, le beurre apporte des vitamines A et D, indispensables en fin de grossesse, quand les os du bébé se développent.

POIRES POCHÉES

↘ **Contient des fibres, du potassium et du calcium. Par portion : 163 kcal (687 kJ). Protéines : 0,3 g. Lipides : 0,1 g. Glucides : 41,6 g. Fibres : 1,7 g.**

PRÉPARATION 20 min
CUISSON 30 min
TEMPS DE REPOS 4 heures (si possible une nuit)

Placez les poires dans une petite casserole. Ajoutez le jus de pomme, le sucre, la vanille, la cannelle, le gingembre, le sirop de gingembre et le cinq-épices. Faites chauffer.
Quand le mélange arrive à ébullition, baissez le feu, couvrez avec du papier sulfurisé et laissez mijoter entre 20 et 30 min, jusqu'à ce que les poires deviennent tendres : le temps de cuisson dépend de la maturité des fruits.
Retirez la casserole du feu et retournez les poires afin de bien les enduire de sirop.
Recouvrez avec le papier sulfurisé et laissez infuser au moins 4 heures, et si possible jusqu'au lendemain.
Servez tiède ou à température ambiante, avec du fromage blanc et des gâteaux secs (par exemple des sablés ou des petits gâteaux aux amandes).

1er au 3e trimestre

POUR 4 PERSONNES

4 poires conférences (ou doyennés) pelées
50 cl de jus de pomme
50 g de sucre semoule (25 g si vous utilisez du vin doux naturel à la place du jus de pomme)
1/2 gousse de vanille fendue
1 petit bâton de cannelle
1 morceau de gingembre coupé en lamelles ou haché
1 cuillerée à soupe de sirop de gingembre (facultatif)
1 pincée de cinq-épices (mélange utilisé en cuisine chinoise et composé d'anis étoilé, de girofle, de fenouil, de cannelle et de poivre)
Fromage blanc
Gâteaux secs

Pauvre en calories et en lipides, ce dessert est riche en fibres solubles et en glucides. Il est à déguster tout au long de votre grossesse, en particulier pendant les premières semaines si vous avez envie de manger léger, ou en fin de grossesse quand les repas sont moins copieux mais plus fréquents.

MOUSSE AU CASSIS

**↘ Excellente source de glucides. Apporte aussi du calcium, de la vitamine C et des fibres.
Par portion : 142 kcal (599 kJ). Protéines : 4,2 g. Lipides : 0,7 g. Glucides : 30 g. Fibres : 4,7 g.**

PRÉPARATION 30 min **TEMPS DE PRISE** 4 h

Faites tremper les feuilles de gélatine dans de l'eau froide afin de les ramollir.
Lavez le cassis, égouttez-le soigneusement et égrappez-le. Mettez les baies de cassis dans une casserole avec le sucre et le sirop de cassis. Faites chauffer à feu doux.
Quand le sucre est dissous, réduisez la préparation en purée : pressez-la à travers une passoire.
Égouttez les feuilles de gélatine, placez-les dans une casserole et mélangez-les à 3 cuillerées à soupe de purée de cassis.
Faites chauffer à feu doux, tout en remuant, pour faire fondre la gélatine. Évitez l'ébullition, sinon la gélatine ne prendra pas.
Si vous utilisez de la gélatine en poudre : faites chauffer 20 cl de purée de cassis et, quand la préparation est sur le point de bouillir, retirez la casserole du feu, versez la poudre dans la casserole et fouettez vigoureusement jusqu'à la dissolution complète de la gélatine.
Incorporez 2 cuillerées à soupe de purée de cassis au yaourt. Ajoutez le reste de purée et le mélange purée-gélatine refroidi, puis tournez.
Versez la mousse dans des ramequins, des petits bols ou des verres.
Couvrez avec du film alimentaire et faites prendre 4 heures au réfrigérateur.
Servez avec des sablés ou de petits gâteaux aux amandes.

1er au 3e trimestre

POUR 6 PERSONNES

6 feuilles de gélatine (ou 11 g de gélatine en poudre, ou de l'agar-agar)
300 à 500 g de cassis (soit 50 cl de purée de cassis)
100 à 150 g de sucre semoule (la quantité de sucre dépend de l'âpreté du cassis)
15 cl de sirop de cassis
25 cl de yaourt épais (par exemple du yaourt grec)
Gâteaux secs (des sablés ou des gâteaux aux amandes)

Ce dessert savoureux et parfumé est pauvre en calories et en lipides.
Il est particulièrement adapté à la grossesse car il ne contient pas d'œufs crus, lesquels sont déconseillés.
Vous pouvez adapter cette recette à d'autres fruits et, si vous êtes végétarienne, remplacer la gélatine par de l'agar-agar (un épaississant d'origine végétale).
Le cassis est très riche en vitamine C.

GLOSSAIRE

AMÉNORRHÉE

absence de règles.
La grossesse d'une femme se compte en semaines d'aménorrhée (depuis le premier jour des dernières règles) ou en semaines de grossesse (depuis la date de conception, soit deux semaines environ plus tard).
Un enfant à terme vient au monde à la fin du 9e mois, c'est-à-dire au bout de 41 semaines d'aménorrhée, soit 39 semaines de grossesse.

ANÉMIE

diminution du nombre de globules rouges dans le sang et de leur teneur en hémoglobine (inférieure à 11 g/100 ml chez la femme enceinte).
Les symptômes les plus courants sont la pâleur, la fatigue, l'essoufflement et les vertiges. Une femme enceinte développe très souvent une anémie, car le fœtus utilise le fer de sa mère pour fabriquer ses propres globules rouges.
L'anémie survient parfois à la suite des pertes de sang pendant et après l'accouchement.
Des carences importantes en fer peuvent provoquer une anémie dite ferriprive et également appelée carence « martiale » (de « Mars », jadis synonyme de « fer » en alchimie).
D'autres types d'anémies sont parfois liés à des carences en vitamine B9 ou en vitamine B12.

DÉPRESSION POSTNATALE, OU « BABY BLUES »

appelée encore dépression post-partum, cette dépression de courte durée survient parfois juste après l'accouchement ou lors du retour à la maison.
Elle est liée en particulier à la chute hormonale qui se produit après la naissance, à la fatigue et à la tension. La toute nouvelle maman se sent anxieuse, triste et coupable de ne pas éprouver plus d'intérêt pour son bébé. En France, cette dépression touche entre 10 et 15 % des femmes. Un apport important de calcium diminue de 50 % les risques de dépression postnatale.

GRAVIDIQUE

relatif à la grossesse.
Cet adjectif utilisé en médecine provient de « gravide », signifiant « qui contient un embryon, un fœtus ». On parle de diabète ou d'albumine gravidique par exemple.

HYPOTROPHIE FŒTALE

développement insuffisant du fœtus.
Une hypotrophie fœtale s'accompagne d'un retard de croissance.

PRÉ-ÉCLAMPSIE

syndrome caractérisé par des convulsions qui, accompagnées de coma, touchent le nouveau-né.
Le risque de pré-éclampsie augmente notamment en cas d'hypertension artérielle de la mère. Un apport important de calcium diminue de 70 % les risques de pré-éclampsie.

SPINA BIFIDA

défaut de fermeture du tube neural (relatif au système nerveux) de l'embryon.
Cette malformation congénitale survient quand un membre de la famille en est déjà atteint ou lors de prise de médicaments anti-épileptiques.
Une carence en vitamine B9 serait en partie responsable du Spina bifida.
En France, le nombre de cas est estimé à 1 000 par an.

TÉRATOGÈNE

source d'anomalies et de malformations importantes chez le fœtus.
De nombreuses substances toxiques sont tératogènes, notamment l'alcool, qui traverse très facilement la barrière placentaire.

DANS LA MÊME COLLECTION

→ Des techniques à pratiquer au quotidien, des conseils et des astuces pour vivre une grossesse au top de sa forme.

→ Des auteurs experts et reconnus dans leur pratique.

DANS LA MÊME COLLECTION

ET POUR APRÈS...

Achevé d'imprimé en Espagne par Estella Graficas
Janvier 2009
ISBN : 978-2501-06030-1
408 13 78 / 01